davidtour@. ☑ T5-AXE-023

滇国寻踪

青铜铸成的史诗

Epic in the Bronzes:
Dian Kingdom in History

云南省博物馆编·云南民族出版社

图书在版编目（CIP）数据

滇国寻踪：青铜铸成的史诗 / 云南省博物馆编.—昆明：
云南民族出版社，2008.7
（云南藏宝系列丛书）
ISBN 978-7-5367-4005-1

Ⅰ.滇… Ⅱ.云… Ⅲ.青铜器（考古）—简介—云南省
Ⅳ.K 876.41

中国版本图书馆CIP数据核字（2007）第192967号

云南藏宝系列丛书

云南省博物馆编

主　　编：马文斗

编　　委：高力青　李　黎

　　　　　陈　浩　刘亚伟

　　　　　田晓雯　邢　毅

　　　　　徐政芸　樊海涛

《滇国寻踪——青铜铸成的史诗》

撰　　文：陈　浩　邢　毅

摄　　影：邢　毅

英文翻译：何昌邑　刘天良　区　林

整体设计：杨弸睿

责任编辑：董　艾　段　波

图片编辑：李跃波

出版发行　云南民族出版社
地　　址　昆明市环城西路170号云南民族大厦五楼（650032）
印　　制　深圳华新彩印制版有限公司
开　　本　889mm×1194mm　1/32
印　　张　4.875
字　　数　43千
图　　片　216幅
版　　次　2008年7月第1版
印　　次　2008年7月第1次
印　　数　1~3000
定　　价　45.00元
ISBN 978-7-5367-4005-1/K · 1052

前
Preface
言

博物馆是一座桥梁，它为现代人沟通历史与现在，让人们随着历史的脉络，按照社会发展的规律走向未来。

博物馆是一部通贯古今的巨著，它用实物向人们讲述过去的岁月，讲述古人的生产与生活，战争与宗教，社会与艺术。

博物馆是一所学校，它向人们传授优秀的传统文化，宣扬千百年来形成的各民族合理的道德规范，展示先民留下的光辉灿烂的艺术。

成立于1951年的云南省博物馆是云南省最大的文物收藏和展示单位。五十多年来，通过考古发掘、购买和接受捐赠，收藏了以青铜器、宗教文物、民族文物为主的，包括各时代书画、瓷器、雕刻品、历史档案、古代钱币、邮票在内的各种文物近二十万件，这些历史遗物见证了云南各民族的生存与发展，印证了云南先民生活的方方面面。

云南有着悠久的历史、丰富的民族文化和灿烂的民族艺术，它们并非遥不可及，以云南省博物馆藏品为代表的无数精美文物就是明证。它们不仅属于云南人，更属于全世界。这次和云南民族出版社共同策划出版《云南藏宝系列丛书》，旨在更大范围和更深层次地宣传云南文化，为云南文化大省向云南文化强省的转变出力，为建设文明、富裕、和谐、进步的云南添砖加瓦。希望读者能喜欢。

云南省博物馆馆长　马文斗

2007年12月

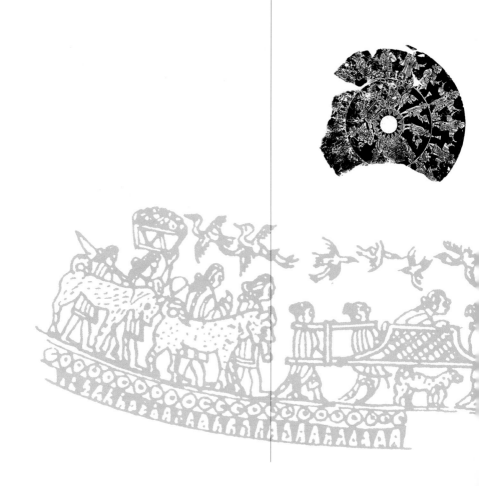

目录
CONTENTS

滇西北地区青铜文化
滇池类型青铜文化
红河流域青铜文化
洱海地区青铜文化

云南青铜文化考古发现分布图
Distribution Map of Archaeological Findings of Bronze Culture in Yunnan

　　半个世纪以来，在云南境内大多数区域都发现了青铜器。从时间上看，从晚商到两汉，时间跨度上千年；从地域上看，以滇池为中心的滇中地区，以洱海为中心的滇西地区，以丽江、香格里拉为中心的滇西北地区，以及红河流域的滇南地区等，不同地域呈现出不同的文化特征，数以万计的青铜器为人们展现了丰富的文化内涵。

引 Preface

滇池

In ancient times, Yunnan was called "Dian", which dates back to an ancient Dian Kingdom recorded by Sima Qian in the Han Dynasty in his "A History of China: Tribes in the Southwest". However, as time went by, this part of history over two thousand years gradually became obscure to the later generations. For a long time, Yunnan was regarded as a stretch of savage land. Its historical truth has, however, been unveiled by the archaeological discovery in recent fifty years. In 1953, an antiquary arrived at the Museum of Yunnan Province with several pieces of bronze wares, which drew the broad attention of the relevant people. With further investigation, a group of ancient tombs at Shizhai Mountain, Jinning County were discovered with some extraordinarily fine relics unearthed, which not only brought much sensation to the public but also helped rewrite the history of Yunnan. When further discovery was going on at Shizhaishan, Jinning County, a large number of ancient tombs buried with bronze wares were found at Lijiashan in Jiangchuan County, Tianzi Temple in Chenggong County, Taijishan in Anning County, Wanjiaba in Chuxiong Prefecture and Dapona in Xiangyun County, with thousands of bronze wares unearthed, from which the mystery of the ancient Dian Kingdom was unveiled to the public.

石寨山远眺
A Distant Scene of Shizhai Mountain
石寨山又名石鲸山，传说汉武帝为开拓云南，在长安开凿昆明池，池中有石鲸出没，极像此山。
自1955年开始，在此发现滇国墓葬八十余座，出土文物六千余件，石寨山由此成为滇文化研究的圣地，名扬天下。

晋宁石寨山
Shizhai Mountain in Jinning County

江川李家山
Lijia Mountain in Jiangchuan County

云南古称滇，这一名称的来源自古以来说法不一。有的认为是根据昆明附近的滇池独特的地理形势，被称为"颠倒池"，这种说法最初见于东汉谯周《异物志》："滇池在建宁界，有大泽水，周二百余里，水乍深广，乍浅狭，似如倒池，故俗云滇池。"其后郦道元的《水经注》等多沿袭此说。还有的循音考义，认为"滇，颠也，言最高之顶"，云南地处高原，故名。第三种认为"滇"是古语甸的变音，即坝子。云南的地形多山，人们大多居住在山间的盆地——坝子里，现在云南的地名中还有中甸、鲁甸、寻甸、施甸等可以作为明证。第四种则从史书中考查，司马迁在《史记·西南夷列传》中曾经记载了一个古老的滇国，曾创造过辉煌的文明。然而世事沧桑，两千多年的时间足以为滇国的历史蒙上了厚厚的尘埃，人们逐渐淡忘了那些尘封的往事。长期以来，总以为云南是蛮荒之地，是人烟稀少、野兽出没、遍地荒夷的充军发配之所。前有诸葛亮《前出师表》"五月渡泸，深入不毛"为证，后有艾芜《南行记》为凭。然而，事实果真如此吗？真相已经揭开了半个世纪，我们的故事就从五十多年前讲起。

1953年，刚刚成立不久的云南省博物馆迎来了一位古董商，他带来的几件青铜器引起了人们的注意。博物馆的业务人员研究后认为，这可能是云南某一地方出土的，便买了下来，并开始追查它们的来历。1954年秋天，博物馆工作人员根据方树梅先生提供的线索前往晋宁县调查，得知滇池边的石寨山曾经出土过青铜器，便来到石寨山，又从村民手中征集到了类似的青铜器，并了解到当年曾有大批青铜器出土。当时，谁也没有料到这一事件会成为改写云南历史文化的导火索。

1955年3月，云南省博物馆派出一支考古发掘队，对石寨山进行第一次发掘工作。经过二十一天的发掘，确认了石寨山存在新石器时代的贝丘遗址和青铜时代的墓葬群。此次只发掘了两座青铜时代的墓葬，出土青铜器一百余件。其中有两件器物造型十分独特，上面还形象地铸造了众多人物进行纺织与祭祀的场面，生动地再现了古代社会生活的情况。这种前所未见的青铜器马上引起了轰动，当时文化界的泰斗郭沫若和郑振铎两位先生闻讯赶来观看了这些青铜器，惊叹之余，把它誉为具有国际意义的重大发现。

考古学家的工作虽然很枯燥，但其中的乐趣在于当他们用手中的刷子扫去覆盖在文物上的泥土时，仿佛是扫落了岁月的尘埃，让历史的真相重新显现。随着晋宁石寨山发掘工作的深入以及江川李家山、呈贡天子庙、安宁太极山、楚雄万家坝、祥云大波那等一系列青铜墓葬群相继被发现，上万件青铜出土，这些精美的文物在考古学家手中变成了一张张拼图，渐渐揭开了一段尘封的历史。

石寨山文物发掘现场
Excavation Site at Shizhai Mountain

目前已发现的滇文化青铜器主要是墓葬出土，一般墓葬规模不大，出土文物却十分集中。其中最著名的石寨山，作为滇王族墓地，在面积不到二万平方米的范围内，发现了如此众多的墓葬和出土文物，在世界考古学界都十分罕见。

4

杀人祭柱场面贮贝器
Shell-container with a Scene of Killing as Sacrifice to the Sacred Pole
高38、盖径30厘米
晋宁石寨山1号墓出土
　　1955年发现的这件贮贝器制作精美、人物众多，第一次让人们看到了古代宗教活动的真实情况，当时的许多学者对此十分关注，臭衷一是，由此开始了对古滇文化的研究。

纺织场面贮贝器
Shell-container with a Scene of Weaving and Spinning
高21、盖径24.5厘米
晋宁石寨山1号墓出土
　　1956年，时任中科院院长的郭沫若听到石寨山的考古成果，专程赶来观看，对这件纺织贮贝器情有独钟，认为这就是打开中国古代纺织史研究的钥匙。

铜鱼形杖头
Fish-shaped Bronze Cane-handle
长26.7厘米
晋宁石寨山12号墓出土
　　鱼头尖而长，鱼尾作扇形
或燕尾形，鱼身有菱形或半圆
形鳞片纹。腹下一圆垫，可装
木柄。原为仪仗器。

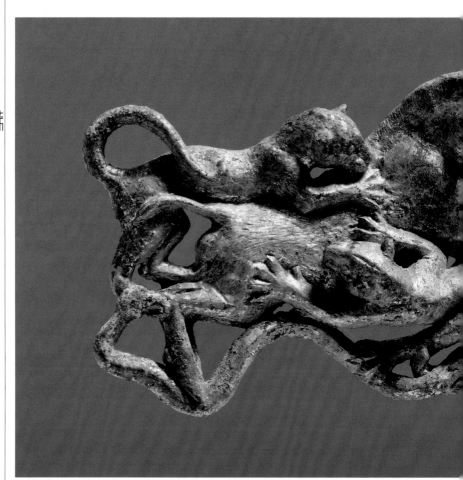

三兽铜盒
Bronze-box with a Three-beast Orna-ment
高12.5、径13.9厘米
晋宁石寨山12号墓出土

　　鼓腹，圈足，器盖、身相扣呈圆球状，盖顶雕铸三兽。盖和身皆有凸凹有序的莲瓣纹，装饰风格似乎有西域文化趋向，却在中原汉墓中屡有发现，成为西汉时期的典型器物。同样的器物在广州南越王墓也有出土，很有可能就是来自中原的物品。

鎏金二豹噬猪铜扣饰
Gold-plated Bronze Button Ornament in the Shape of Two Leopards Hunting a Boar
长16、宽10厘米
晋宁石寨山71号墓出土

　　扣饰是滇文化中富有特色的一类器物，它的得名来源于后面的一个矩形勾扣。一般有圆形、方形等多种形制，但最具特色的是这种动物搏斗扣饰，造型自由生动，方寸之间显示出高超的艺术魅力和无穷的生命力。这件扣饰表现一豹扑于猪背，两后爪抓住猪之后腿，以二前爪抓住野猪的肩腹，张口咬住猪背；另一豹后腿已被野猪紧咬不放，仍奋力钻到猪腹下，抓咬住猪腹。争斗是如此激烈，似乎粗重的喘息、痛苦的嘶鸣都在瞬间凝固在这青铜之中。

铜牛虎案
Bronze Article with a Tiger-Buffalo Ornament
长76、宽36、高43厘米
江川李家山24号墓出土

　　器物的造型为二牛一虎，主体为一头大牛，站立状，牛角飞翘，背部自然下落成案；尾部饰一只缩小了比例的猛虎，虎作攀爬状，张口咬住牛尾；大牛腹下中空，横向套饰一头小牛，亦站立状。用范模铸造，大牛和小虎一次成型，而小牛则是另铸，再焊接。从美学价值来看，大小比例搭配合适，形体塑造动静结合，立意独具匠心，想像力丰富，具有极高的艺术价值。1972年在云南省江川县李家山出土后，成为滇文化的代表。

9

江川李家山文物发掘现场
Excavation Site at Lijia Mountain in Jiangchuan County

从发现的器物及墓葬的规模看，江川李家山是与晋宁石寨山同时代的重要滇国墓地。它是滇国贵族的墓地，还是滇王族的另一墓地，或许是滇国同姓相扶的另一王国墓地，专家众说纷纭。李家山的出现，使得滇国的历史更加扑朔迷离。然而两地出土的文物显示出它们之间的关系是如此的水乳交融，看来滇国的故事远非想像的那么简单。

江川李家山文物发掘现场
Excavation Site at Lijia Mountain in Jiangchuan County

继晋宁石寨山后，又有很多滇文化墓葬群被发现，大量的青铜器出土，滇国的神秘面纱在考古学家手中逐渐揭开。其中位于江川县星云湖畔的李家山，是发现的又一个重大成果。

〔云南珍宝系列丛书〕

史书上的滇国

Dian Kingdom in
History Books

云南新宝系列丛书

In the year 122 BC, a well-known diplomatist Zhang Qian brought back a piece of important information that there was a passage-way linking to the central Asian area in the southern territory of the Han Imperial Kingdom. The Emperor Wudi sent a messenger to Yunnan for confirming it. Sima Xiangru and Sima Qian were involved in the matter separately with their recordation. Sima Qian recorded the political and economical status of Yunnan, Guizhou and Sichuan at that time as well as the Emperor Wudi's effort at opening up the frontier. As a result, the Dian Kingdom stepped into the historical records ever since. Unfortunately, facing abundant valuable first-hand data obtained locally, Sima Qian only described the Dian Kingdom in about three hundred words, from which we know that there was a Dian Kingdom in Yunnan with many minority groups but we could not guess the details of the Dian Kingdom and what had happened to the Kingdom afterwards.

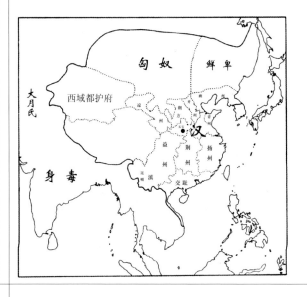

西汉与周边地区疆域分布图
Territory Map of the West Han Dynasty and its Neighboring Area

西汉时期的中国疆界，奠定了今日中国的国土基础。当时代表农耕文化的西汉王朝与代表北方游牧文化的匈奴之间爆发的碰撞，成为世界地缘政治的核心。其间战争、外交、文化交流等都围绕着这个主旋律展开。滇国就是在这样的大背景下，走上了中华文明的历史舞台。

汉武帝像
Picture of Hanwu Emperor

西汉初期，汉高祖刘邦在白鹿山一战失利后，一直对强大的北方表示臣服，采用和亲、退让的怀柔手段。到武帝时期，经过文景之治的西汉王朝集聚了足够的力量与北方抗衡，于是雄才大略的汉武帝开始吹响了反攻的号角。

公元前122年，从西域满载而归的博望侯张骞为汉武帝带来了一条重要的情报：在大汉帝国的南面，有一条不为人们熟知的古老通道，可以经过身毒（今印度）直插匈奴人的身后。这一具有重大战略价值的信息，使得雄才大略的汉武帝很快作出决定，派出使者，打通西南夷的交通，实现对强大敌人匈奴的战略包围。于是，云南在这样一个偶然中，与华夏文明有了一次邂逅。

于是天子乃令王然于、柏始昌、吕越人等，使间出西夷西，指求身毒国。至滇，滇王尝羌乃留，为求道西十余辈。岁余，皆闭昆明，莫能通身毒国……

元封二年，天子发巴蜀兵击灭劳浸、靡莫，以兵临滇。滇王始首善，以故弗诛。滇王离难（西南夷），举国降，诸置吏入朝。于是以为益州郡，赐滇王王印，复长其民……

——《史记·西南夷列传》

不知道是历史的偶然，还是汉武帝能预见历史的远见卓识，这一当时重要的政治与外交事件，居然不是由最重要的政治家参与，却赫然出现了两位声名卓著的文化名流——后人称为"西汉文章两司马"的司马相如与司马迁，这两位汉武帝时执文学、史学牛耳的人物先后参与了这两起事件。或许大汉帝国遵循的是晏子使楚提出的上士结交上国的原则，或许缘于汉武帝认为与西南地区的外交是文化交流活动。总之，元狩元年（公元前122年），司马相如参与略定西夷邛、筰等部，开通灵关道，留下了著名的《喻巴蜀父老檄》、《难巴蜀父老书》；元封元年（公元前110年），司马迁任郎中时，曾跟随大汉朝军队"南略邛、筰、昆明"，来到了云南。

司马长卿便略定西夷，邛、筰、冉、駹、斯榆之君皆请为内臣。除边关，关益斥，西至沫、若水，南至牂柯为徼，通零关道，桥孙水以通邛都。还报天子，天子大说。

——《史记·司马相如列传》

纹饰·盛装的滇国首领
Chieftain of the Dinan Kingdom in Rich Attire and Tattoo

唐蒙、司马相如始开西南夷，凿山通道千余里，以广巴、蜀，巴、蜀之民罢焉……时又通西南夷道，作者数万人，千里负担馈饷，率十余钟致一石，散币于邛、僰以辑之。数岁而道不通，蛮夷因以数攻，吏发兵诛之。悉巴、蜀租赋不足以更之，乃募豪民田南夷，入粟县官，而内受钱于都内。

——《汉书·食货志》

　　于是迁仕为郎中，奉使西征巴、蜀以南，略邛、筰、昆明，还报命。

——《汉书·司马迁传》

　　作为当事人，司马迁记录了当时云、贵、川以南的政治经济状况以及汉武帝开疆拓土的经过，滇国就这样走进了历史典籍。作为世界四大文明古国中惟一传承记录完备的国家，中国古代历史典籍无疑十分值得自豪。文字是了解历史最重要的信息，如果没有这些文字的记录，我们将无从知晓云南的先民是谁，他们做过些什么。按今天的眼光看，司马迁经过实地考察获得的第

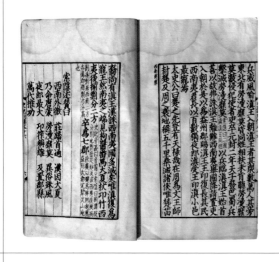

《史记》文照
A History of China
　　号称"史圣"的司马迁用毕生的才华写就了伟大的《史记》，成为中国历史上第一部纪传体史书，开创了中国历史的新篇章。这部被誉为"史家之绝唱，无韵之离骚"的著作，第一次记载了当时滇国的史实，也成为我们今天了解云南早期历史最重要的文字资料。

[云南新宝系列丛书]

《史记·西南夷列传》
Ethnic Histories in *A History of China*

一手资料，实在是无比珍贵。

西南夷君长以什数，夜郎最大；其西靡莫之属以什数，滇最大；自滇以北君长以什数，邛都最大。

此皆魋结，耕田，有邑聚。

其外，西自同师以东，北至楪榆，名为嶲、昆明，皆编发，随畜迁徙，毋常处，毋君长，地方可数千里。

滇池，方三百里，旁平地，肥饶数千里。

滇王与汉使者言曰："汉孰与我大？"及夜郎侯亦然。以道不通故，各自以为一州主，不知汉广大。使者还，因盛言滇大国，足事亲附。天子注意焉。

滇王者，其众数万人。

滇小邑，最宠焉。

——《史记·西南夷列传》

遗憾的是，由于古代交通不便，太史公无法深入了解滇国，因之，他对滇国的记载只有短短的三百余字。滇王究竟是何人？滇国究竟怎么样？司马迁没说清楚，滇国就很快在史书中失去了踪影，其后发生了什么也不得而知。班固补充道：

后二十三岁，孝昭始元元年，益州廉头、姑缯民反，杀长吏。牂柯、谈指、同并等二十四邑，凡三万余人皆反。遣水衡都尉发蜀郡、犍为奔命万余人击牂柯，大破之。后三岁姑缯、叶榆复反……

明年，复遣军正王平与大鸿胪田广明等并进，大破益州，斩首捕虏五万余级，获畜产十余万……

——《汉书·西南夷两粤朝鲜传》

滇国的历史犹如滇池上空掠过的一片祥云，在一场战争的风暴过后，湮没在历史的烟雨中。转眼就是两千年，人们似乎已经淡忘了在历史的长河中，还有这样一个神奇的古滇国的存在。

位于晋宁县晋城的汉置益州郡碑
Tablet of Yizhou Prefecture Made in the Han Dynasty and Located at Jincheng of Jingning County

"胜西"铜印
Bronze Seal of "Shengxi"
边长1.1、高1厘米
晋宁石寨山20号墓出土

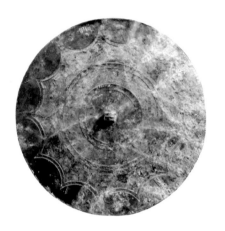

连弧纹铜镜
Bronze Mirror with a Connected
Curve-Line Pattern
径15厘米
晋宁石寨山23号墓出土

"畜思君王"铜镜
Bronze Mirror of "Missing the
King"
径6厘米
晋宁石寨山1号墓出土
　　正方形钮座，座外有篆
书铭文"畜思君王，心思不
忘"八个字。四角有草叶纹
图案，边缘为内向连弧纹。
这样的铜镜，完全是汉文化
的产物，这样的器物在滇国
墓葬中偶有发现，成为滇国
与西汉王朝交流的明证。

[云南珍宝系列丛书]

铜香熏
Bronze Incense-container
高17厘米
晋宁石寨山23号墓出土

铜提梁壶
Bronze-pot with Two Rings
高39厘米
晋宁石寨山23号墓出土

胜境关古道
Shengjing Ancient Pass
　　位于滇东北高原与贵州接壤的胜境关是早期云南与中原交通最重要的关隘之一,也是云南接受汉文化的重要见证。

豆沙关古道
Dousha Ancient Pass
　　通过昭通地区盐津县的这条艰险的小道就是当年维系云南与汉文化母体的纽带。数百年后作为唐朝使节的袁滋路过这里时还曾留下了一份题记,记录了自己的使命。千百年来中华文明的养分正是通过这条脐带,源源不断地滋养着云南。

青铜器展开的历史画卷

History Unveiled in the Bronzes

Tens of thousands of cultural relics, especially bronze wares, have been found in central Yunnan with Dianchi Lake as the center, west Yunnan with Erhai Lake as the center, northwest Yunnan with Lijiang and Shangri–La as the center, south Yunnan through which the Red River runs. These cultural relics vividly reveal the situations of the Dian Kingdom and its surrounding areas. The pure gold "Seal of Dian King" found in 1956 at Shizhai Mountain of Jingning County is a witness to the existence of the Dian Kingdom mentioned in *A History of China*.

The Bronze wares unearthed in Yunnan are numerous and varied, including those used as weapons or musical instruments or ornaments, for production or daily life. Some are unique to Yunnan, for example, shell–containers and button ornaments which are characteristic of Yunnan and reveal the highly developed civilization of the Dian Kingdom.

Compared with others, the bronze wares of Yunnan were made in a later period and the casting technique was quite advanced. These bronze wares, like history books, present the life, culture and history of the Dian people truthfully.

The Dian Kingdom was found through archaeology and its bronze wares are its epic. The bronze wares with a truthful description of the ancient Dian people can provide much information in a direct way which is beyond description in words.

滇王金印
Gold Seal of Dian King
边长2.4、高2厘米
晋宁石寨山6号墓出土
　　蛇钮方印，印文为篆书"滇王之印"。它的出土，印证了《史记·西南夷列传》中汉武帝元封二年（公元前109年）赐滇王王印的记载。

但是，历史的真相毕竟不是一场绮梦，醒来后了无痕迹。两千年以后，考古学家一刷一刷拂去时间的尘埃，重新揭开了古滇国神秘的面纱。从晋宁石寨山开始，包括以滇池为中心的滇中地区，以洱海为中心的滇西地区，以丽江、香格里拉为中心的滇西北地区，以及红河流域的滇南地区等，数以万计的以青铜器为主的文物穿越时空，来到人们面前，述说着往日的点点滴滴。

这些文物生动地展现了两千年前滇国及其周围的情况，其中1956年晋宁石寨山出土的一件纯金的"滇王之印"，就是太史公笔下汉武帝显示对滇国恩宠的信物，它闪烁着熠熠的金光重新打开了历史之门。《史记》记载的滇国的确存在，尘封了两千年的古滇国终于又重新出现在世人面前。

云南出土的青铜器数量众多，品种丰富，有兵器类、生产工具类、生活用具类、乐器类和装饰类等。兵器类包括斧、钺、剑、矛、戈、凿、棒等，生产工具类包括锄、镰、削、纺织工具等，生活用具类包括釜、洗、盒、马具、酒器、案等，乐器类包括铜鼓、编钟、葫芦笙等，装饰类包括扣饰、杖首、饰牌、玉镯等饰品。其中一些是云南独有的器物，如贮贝器和扣饰在世界其他地区都没有出现过，是滇国最具有特点的器物。贮贝器因出土时其中贮满了来自印度洋的海贝而得名，主要有铜鼓形、束腰筒形和盒形三种。其中有些贮贝器顶部的盖上铸造了各种内容丰富的形象，蕴涵了大量滇人的信息，成为滇青铜器中最重要的重器。扣饰以其背面的矩形扣而得名，往往铸造精细，内容丰富，具有较高的艺术价值。这些充满个性的文物，展现出了滇国高度发达的文明。

滇国没有文字，只能在青铜器上述说自己的故事。这些青铜器铸造工艺精湛，自然生动，以一种前所未见的方式，把当时滇人的社会、生活真实清晰地展示在人们面前。人们不禁惊叹其铸造之精美、技艺之高超，更被其丰富的文化内涵所吸引。

诚然，与世界其他地方的青铜文化相比，石寨山青铜器铸造时间较晚。但石寨山的铸造工艺也因此能集青铜铸造之大成，陶范法、失蜡法、鎏金、镶嵌、雕刻……各种高超的青铜铸造、装饰技艺，被滇人娴熟地应用到青铜器上。滇人对青铜铸造是如此得心应手，因此能以最真实的语言，重现他们

贝　币
Shell Money
晋宁石寨山出土
　　海贝自古以来被视为宝物，有时还作为财富的象征。滇国墓葬中常有海贝出土，数量之大，为全国之最，且海贝出土时常置于贮贝器中，显示出别样的尊贵。直到近代，云南一些少数民族还把海贝作为流通交换的等价物。

的生活。无论动物还是人物，是个体还是场景，古滇国的工匠们赋予了青铜以生命，穿越时空，生动而直观地讲述自己的过去。虽然没有文字，但滇人的生活就通过这些铸造出来的史书，坦荡地呈现在我们面前。

滇国是一个被考古发掘出来的王国，滇国的青铜器是青铜铸造的史诗。滇国的青铜器与世界所有青铜文明相比都毫不逊色，与世界所有青铜文明也都有很大的不同。它所涉及的内容，从衣食住行到社会生活的各个方面，揭开了滇国许多的秘密，又给我们提出了更多的疑问。它的写实，能让我们获得许多文字所无法提供的信息，成为解读古代人们生活最直观的资料。

四人缚牛铜扣饰
Bronze Button Ornament with a Scene of Four People Tying a Buffalo
高9.6、宽16厘米
晋宁石寨山6号墓出土

四人将一牛缚于柱上，即将进行剽杀。其中二人按伏牛背，一人挽住牛尾，另一人持绳数周，其绳之一端已将牛颈系于圆柱。此四人服饰相同，头戴冕形帽，长发垂于头后，佩戴耳环、手镯，着对襟上衣。如此盛装，显然是在进行某种祭祀活动。系牛之圆柱上端为伞状圆顶，顶上盘绕一蛇。从滇王金印的蛇钮到许多青铜器上出现蛇的形象，显然蛇在滇人的宗教信仰中占有一席之地。

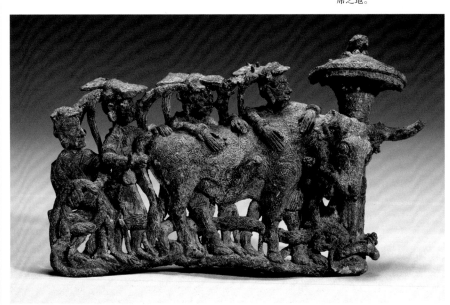

长方形狐边铜扣饰
Square-shaped Bronze Button
Ornament
高5.7、宽9.2厘米
晋宁石寨山13号墓出土
　　长方形，背面中央铸有
一矩形扣，正面镶嵌白绿色
玛瑙管珠及绿松石，边缘一
周立雕有首尾相接的狐狸。

猎鹿铜扣饰
Bronze Button Ornament in the
Shape of Hunting Deer
高8、宽8.5厘米
晋宁石寨山7号墓出土
　　猎者着长衣短裤，跣
足，左手抓鹿颈，右手举剑
欲刺，鹿张口嘶鸣，企图挣
脱。此扣饰采用平面线刻的
艺术手法，与其他圆雕、浮
雕等扣饰风格不同，简洁朴
实。

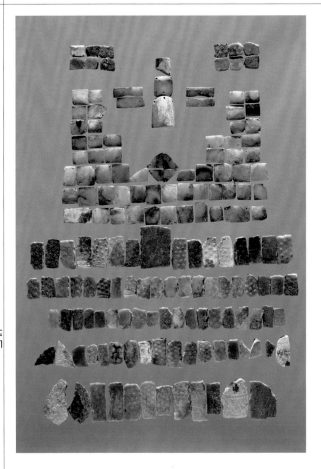

玉　衣
Jade Garment
大小不一
晋宁石寨山6号墓出土

　　这件与滇王金印同一墓
葬内发现的玉衣，与汉代的
王侯殓葬制度一致，在其他
地方的汉代诸侯王墓中也有
发现。它的玉质为和田玉，
来自中原，其中有穿孔的玉
柙片六十九片，有九十七片
为玉璧或其他玉器改制，这
与南越王墓出土的玉衣相
似。这件文物的发现，对确
定石寨山墓地的性质、年代
以及墓主身份等等，无疑是
十分重要的证据。

虎鹿牛贮贝器
Shell–container with a Tiger–
Deer–Buffalo Ornament
高34.5、径16.6厘米
江川李家山22号墓出土
　　除了富于装饰的饰品，
滇青铜器还有许多独有的文
物，例如贮贝器。贮贝器是
滇文化的重要器物类型，有
铜鼓形、束腰圆筒形等，因
其内发现有大量的海贝而得
名。此件为典型的束腰圆筒
形贮贝器类型：底有三足，
足作人形，头部及双手上托
器身；腰部阴刻人物、动物
等花纹三组；器盖上圆雕一
组动物造型：一牛体形较
大，居中，周边一虎三牛，
以逆时针方向环绕大牛；铸
造精细，纹饰华美。

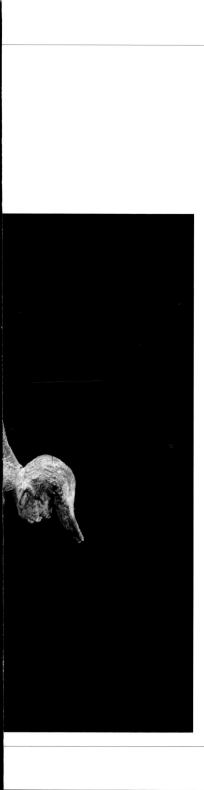

吊人铜矛
Bronze Spear with an Ornament of Two Dangling People
长41.5厘米
晋宁石寨山6号墓出土

　　矛刃部前端收束成尖锋，后端有圆形銎，用以安装木柄。它的独特之处在于刃部后端两侧各吊一裸体男子，双手反缚，其发下垂。这种以人物或动物装饰的兵器，是滇青铜器中最具特色的文物。这件矛上悬吊的人物似为受刑之奴隶，弯曲的身体与面部表情，显得痛苦不堪，凝神细看，仿佛战争的残酷瞬间迸发在人们面前。

云南
宝系列丛书

铜孔雀
Bronze Peacock
高13厘米
晋宁石寨山17号墓出土

刻纹铜片
Bronze Plate with a Carved Pattern
长42、宽12.5厘米
晋宁石寨山13号墓出土

在晋宁石寨山发现的这块刻有图形符号的铜片，似乎蕴涵着许多难以解读的信息。有专家认为这有可能就是古滇国的图形文字，然而这样的符号毕竟发现得很少，更不可能从中看到滇人对历史的记载。因此滇国的文字上的历史，只能依靠中原的记录。

云南藏宝系列丛书

立牛铜枕
Ox-shaped Bronze Pillow
高33、宽50.3厘米
江川李家山17号墓出土
　　器物整体似马鞍状，两端上翘，各雕铸一牛，牛静立状，恬静可爱；枕一侧以云纹为底，饰浮雕三组虎噬牛图像，另一侧饰云纹。器物出土时置于死者头下，故名铜枕，似为滇国特有的专门供随葬用的枕具。

31

鎏金骑士贮贝器
Gilded Shell-container with an
Ornament of Rider
高50、盖径25厘米
晋宁石寨山10号墓出土

　　器物为典型的束腰圆筒形贮贝器类型，腰部有对称的虎耳一对，虎作攀登状。器盖上铸有四牛，四牛双角卷曲，颈肌丰满，造型生动。中央为一骑士，骑士挽髻于顶，短袖窄裤，左佩短剑，骏马昂首仁立，长尾曲垂。骑士全身鎏金，处于居高临下的位置，显得格外醒目。或许他就是墓主人，生前除了拥有大量财富外，还拥有极高的权力，其身份与地位非同一般，不是一位王室贵族，就是一位军事首领。

国之大事在祀与戎

Religious Ritual and War: Great Events of the Dian Kingdom

Religious ritual and war were the most important activities for an ancient kingdom. Therefore, many Dian bronze wares unearthed are closely related to religious activities. The religious ritual of ancient Dian people inscribed on the bronze wares includes such agricultural and social activities as ploughing and grain-storing as well as the social order like taking oath for alliance on the cowry-storing ware which has been kept in the national museum, reflecting the trend of standardized and systemized beliefs of the ancient Dian people. In addition, the primitive religion like worship of procreation, primitive belief and ritual could be found on the ancient Dian bronze wares. Such visualized information, though full of mystery, shows us the rich culture of the Dian Kingdom. Bronze wares of the Dian Kingdom provid the most vivid practicalities for us to study the religion of the ancient people, clarifying many puzzles that we had about the ancient religion, meanwhile, bringing more puzzles for us to resolve. War is the last political resort of a country. Eight or nine out of ten ancient bronze wares unearthed are weapons with magnificent decorations. Using bronze weapons played a crucial role in determining the final result of a war. It could be clearly seen from those weapons how important the ancient Dian people regarded war. Besides the weapons, other bronze wares are also decorated with the war equipment, the way and process of a battle, illustrating the ancient war with the involvement of different arms and the details of using various weapons.

The ancient Dian warriors were eager for winning any battle with chopping the enemie's head off as the final means and spoliating livestock, wealth, women and children as the final purpose. Those relics show us how cruel the war was at that time. The relics discovered in the ancient Dian Kingdom include not only the real weapons but also the description of real war, which is very unusual in the world, making it a rare datum for studying the ancient war.

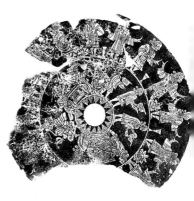

拓片·籍田·宴乐纹铜鼓鼓
Rubbings: A Feast Scene on the Bronze Drum

《左传》云：“国之大事，在祀与戎。”意思是说，一个国家最重要的事情就是宗教祭祀和战争。要了解滇国的秘密，同样要从这两方面展开。

宗教与祭祀是一个颇具吸引力的题材，滇国青铜器中有许多与宗教有着密切的关系，每一件宗教题材的青铜都是一个谜。看着那些正在进行各种活动的滇人，总让人忍不住想：这些人在做什么事情？他们为什么像这样做？他们为什么要杀牛？他们为什么要杀人？他们的牺牲要献给谁？……

可以肯定的是，滇人的宗教祭祀有许多与农业生产有关，例如籍田、上仓的场面，无疑是滇人在春天祈求收获，在秋天为丰收欢乐。滇人的宗教祭祀较深刻地反映了当时的社会生产关系。例如现收藏于中国国家博物馆的诅盟贮贝器，盖面密铸一百二十余个人物，另有高台、巨型铜鼓、铜柱及各种祭品，整个场景布局严谨、主从分明、井然有序，俨然是一幅宏大的滇人生活全景。它所表现的是滇人的一次隆重的宗教祭祀仪式，史诗般的规模和成熟稳健的表现手法清晰地表明：滇人的信仰系统已趋规范化和制度化。有专家考证，在滇国已经存在宗庙制度。按《周礼》记载，古代宗庙“左祖右社”，在云南青铜器上，可以得到清楚的识别。居中的高台建筑无栏无室，“人”字形屋顶分为上下两层，下面以两根巨柱支撑，造型十分优美，应该是一种木质结构的宗教建筑，台下的众人可以清楚地观看台上的演礼活动。高台正中一人垂足坐于高几之上，此人是惟一采用坐姿而不用传统踞跪姿式的人物，位于整个场面的最高处，显然是这个宏大仪式的主角。其他人各就其位，各尽其职。和高台相对应的另一组中心区域布置有巨型铜鼓和巨碑、表柱，巨碑、表柱按“左祖右社”的方式排列，巨碑上缚有一名裸体男子，他是献祭的牺牲，一场动人心魄的祭祀即将展开。

昔者周公朝诸侯于明堂之位：天子负斧依南乡而立；三公，中阶之前，北面东上；诸侯之位，阼阶之东，西面北上；诸伯之国，西阶之西，东面北上；诸子之国，门东，北面东上；诸男之国，门西，北面东上；九夷之国，东门之外，西面北上；八蛮之国，南门之外，北面东上；六戎之国，西门

纹饰·青铜器上的籍田场面
Carved Ornament: King-Field-scene on a Bronze Article

籍田·宴乐纹铜鼓
Bronze Drum with a Pattern of King-field and Feast
径41、高33厘米
晋宁石寨山12号墓出土

之外，东面南上；五狄之国，北门之外，南面东上；九采之国，应门之外，北面东上。四塞，世告至，此周公明堂之位也。明堂也者，明诸侯之尊卑也。

——《礼记·明堂位》

还有一些房屋的模型，据说与《楚辞》中记载的高禖之神，即传说中"巫山云雨"的神女有些关系。此外，剽牛猎头、乐舞杀牲，许多原生态的宗教形式在滇青铜器中都有所反映。这些充满神秘气息的形象资料为我们展示了滇国丰富的文化。滇国的这类青铜器，无疑是研究人类古代宗教最生动的实物。它们解决了我们对古代宗教的许多疑惑，又提出了更多新的谜团，等待我们来解析。

战争是国家政治的最高表现，滇国考古出土的青铜器十之八九是兵器，数量超过一万件。兵器是当时基本的装备，男人几乎人手一件。滇国的兵器许多装饰精美，华丽异常，表明滇国并非处在和平年代，或许滇人也不是一个崇尚和平的民族，或许战争已经成为滇人生活的一部分，他们由此而强盛，也因此而衰落。

青铜兵器的采用，对于古代战争的结果有着决定性的作用。滇国的兵器铸造精美，装饰华丽，其中的仿生装饰兵器是滇青铜器中实用与艺术结合的典范。这些华美的兵器，记载了滇国曾经辉煌的战功，是滇文化的代表性器物。

除了青铜兵器，战争在滇国受到的重视，还体现在一些器物上，明确地表现出了当时战争的装备、战争方式和过程的场景。不仅有丰富的兵器，还有丰富的战争真实场景的再现，这也是云南青铜器的一大特色。晋宁石寨山出土的一件战争场面贮贝器，器盖上铸有立体的人物共二十二人，其中一人体型较大，浑身甲胄，乘马指挥滇人作战，应是滇国首领。整个场面通过骑兵的驰突，敌人的坠地，受伤者的伏地挣扎，士兵的举弩欲射，投降者的跪地告饶，被俘者的双手被缚，死亡者的身首分离等细节，展现出古代战争多兵种作战的情况和许多兵器使用的细节。

从文献记载看，滇国面对一个强大的对手昆明人，他们之间经常爆发激烈的武装冲突。他们

纹饰·青铜器上的放牧纹
Carved Ornament: Pasturing Scene on a Bronze Article

在战争中争夺财富与土地，也进行着文化交流。滇人尚首功，以获取敌人的首级为终极手段，以争夺牲畜财富和妇孺为目的。从这些文物中，可以看到当时的战争是何其残酷。

滇人在战争中使用的手段，在冷兵器时代无疑达到了很高的水准：近战有匕首、短剑，远战有长矛、斧钺，防护有盾牌、铠甲；有马兵，也有步兵，再远距离还能使用弩弓进行攻击。石寨山出土的兵器数量之多，令人称奇，而且发现的文物既有兵器实物，又有实际战争场景，这在世界上是罕见的，成为研究古代战争的珍贵资料。

纹饰·青铜器上的上仓场面
Carved Ornament: Harvest Scene on a Bronze Article

放牧·上仓纹贮贝器
Shell-container with a Pattern
of Pasturing Scene
径50、高32厘米
晋宁石寨山12号墓出土

诅盟场面贮贝器
Shell-container with an Ornament
of Forming an Alliance
高53、盖径32厘米
晋宁石寨山12号墓出土

　　器身为圆筒形，腰微束，两侧有对称的虎形耳，底部有三只兽爪形足，盖上雕一间干栏式房屋及各种动态的人物一百二十七个（残缺者未计入）。房屋建筑主要由平台和屋顶两部分组成：平台底部有小柱承之，顶部分上、下两层，上层呈"人"字形，下层四面出檐，平台前后各置一梯与地面连接。楼上一位妇女垂足坐于高凳上，似为主祭人，其周围放置十六面铜鼓。妇女的左前方及右侧都是参与祭祀者，面前摆放着各种祭品。平台左右侧为另两组人物活动场面：有持刀的屠夫，有喂孔雀的妇女，还有虎、犬等动物。平台下有从事杂役者若干人：有击打鼓和錞于者，有待刑的裸男，有持器盛物的妇女等等。这件器物表现了滇王杀祭诅盟的典礼场面。古书记载："……官常以诅盟要之。"凡有大事，滇人必设立祭坛，供奉祭品，举行盛大典礼。此器生动形象地记录了滇国的"诅盟典礼"仪式。

云南珍宝系列丛书

杀人祭鼓场面贮贝器
Shell-container with a Scene of Killing and Sacrificing to Sacred Drum

高30、盖径32厘米

晋宁石寨山20号墓出土

　　器形作铜鼓状，有底有盖，胴及腰交接处有四耳，胴部及腰部各有三角齿纹两道。器盖上雕有圆雕人物三十二人，马五匹，牛一头，犬一只。人物大致以双耳为中线，分成两组，左侧为祭祀场面，右侧似为播种活动。这一贮贝器，大概表现的是滇人在播种节令举行的一种杀人祭祀的宗教仪式。这种与农业有关的宗教仪式，在滇人社会中，均由女祭主主持。或许在他们的信仰中，认为只有用人血才能恢复地力，使农作物得以繁茂生长。《礼记·郊特牲》："社所以神，地之道也。地载万物，天垂象。取财于地，取法于天，是以尊天而亲地。"因此，不惜用奴隶作为牺牲，以祭于天，祈求丰年。

杀人祭柱场面贮贝器
Shell-container with a Scene of Killing and Sacrificing to Sacred Pole
高38、盖径30厘米
晋宁石寨山1号墓出土

铜鼓形贮贝器，鼓腰部刻有八人，各手持兵器或弩、或矛、或斧作奔跑追猎场面。器盖上铸人物五十一个，动物猪、犬各一。盖中央立一圆柱，上盘绕蛇两条，柱顶立一虎。两侧边缘各有一鼓。柱右一人裸体，双臂反绑于一牌上。柱前一人左足锁枷，一人跪地，双臂反绑，均裸体。此三人当为祭祀的牺牲。柱右一人，乘坐四人肩舆，为主持祭祀仪式的女奴隶主。此场面或许是滇人为丰收而举行的一场祭祀活动。

四人缚牛铜扣饰
Bronze Button Ornament with a
Scene of Four People Tying a
Buffalo
高6、宽12厘米
江川李家山24号墓出土

　　器物主体造型内容表现了一个典型的滇人祭祀场面：四人缚一头犍牛于一圆柱之上，犍牛即将被宰杀；与犍牛命运相同的是，牛角之上倒悬一幼童，作痛苦挣扎状。惊心动魄的祭祀仪式即将开始，幼童与犍牛就是滇人祭祀的牺牲。牛是古代重要的祭祀牺牲，《圣经》中把牛作为献给上帝最好的祭品，中国古代更是把牛作为最高级别献祭的代表，名为太牢。

长方形斗牛铜扣饰
Square-shaped Bronze Button
Ornament with a Scene of
Bull-fighting
高5.6、宽9.5厘米
晋宁石寨山7号墓出土
    扣饰为上、下两层。上层蹲坐十一人，均作观望状。下层中间有一双扇门，一牛欲出，牛后一人执棍作赶牛状；门头上蹲一人，弯腰作开门状；门左右两侧各蹲五人，手中抱一圆筒状器物，扛于肩部，头上带有长长的羽毛，显然是参加宗教活动的盛装。

长方形斗牛铜扣饰
Square-shaped Bronze Button
Ornament with a Scene of Bull-
fighting
高9.5、宽5.5厘米
晋宁石寨山6号墓出土
    扣饰共分三层。上层蹲坐十人；中层左右两侧各蹲坐四人，均作观望状，中间另立一人，将下层的大门打开；下层正中有一双扇门，两边各有四人，门外一牛冲出，似乎是一场斗牛的入场式。接下来是人与牛斗，还是二牛相斗，或是牛虎相斗，不得而知。

铜房子模型
Bronze-house-shaped Ornament
高11.5、宽12.5厘米
晋宁石寨山6号墓出土

房屋为干栏式建筑，平台周围置高楯轩，形成一回廊。台前挡梯处竖一板，上端靠拢屋檐，有一蛇，蜿蜒而上。楯轩和栏板上刻有精细的菱格纹和三角形纹饰。居舍前小龛中供一人头。平台上立者和坐者约十多人，男女均有，皆为滇人。廊右方有五人，计跪者三，倚楯而立者二。小龛前右有两人，一立一坐，坐者双手扶于案上。龛下置一鼓，鼓前靠梯左侧，伏一犬，其右跪一小人。屋左后方有两人，皆跪坐，其一吹葫芦笙。正面左角上有三人及铜鼓数具。楯板上有鹦鹉、牛和猪腿等。台前地上有三人，作烹饪食物之状，台下及两侧有牛、羊、猪等家畜。

[云南 宝系列丛书]

铜房子模型

Bronze-house-shaped Ornament

高9、宽12、深7.5厘米

晋宁石寨山3号墓出土

　　房屋为干栏式建筑，其布局系用巨木自平地筑一平台，高约与人齐。台周置有栏板。前有阶梯，以备上下。后台建一茅舍，当为草木建筑。舍屋两端各立一圆柱，柱头斜出支柱，以乘屋檐。屋顶以长木枝条交叉排列，屋脊两山向外突出，其下各挂一牛头。屋有墙，正面中间开一小龛，龛中供一人头。平台上有二十余人，男女皆有，均为滇人。平台右侧跪坐五人，前置一案，上放类似食物的东西。案前立有四男子，双手举起，作舞蹈姿态，旁有三人，作击鼓之状。小龛下覆置一铜鼓，鼓前蹲一犬，犬旁跪一人。平台正面，有四人在烹饪食物。平台左后方，跪坐五人，前置类似炊器三件。往前复有八人及不详用途的器物四件，其中之一作吹笙之状。滇人聚集在这屋宇中进行怎样的祭祀活动，专家们各有说法。

蛙形铜矛
Frog-shaped Bronze Spear
长17厘米
晋宁石寨山征集

  矛刃部后端及骹部铸有一浮雕青蛙，两前肢弯曲成双环耳，两后肢下蹲作起跳状。蛙背及四肢上有双旋纹、圆涡纹、回纹及竹节纹等纹饰，既刻画出青蛙的生动形象，又巧妙地成为装饰图案。

三熊铜戈
Bronze Dagger with an Ornament of Three Bears

长23.5厘米

晋宁石寨山13号墓出土

扁圆骹，骹面两侧刻回旋纹、圆点纹组合图案。骹背雕铸三熊。这种富于装饰的兵器，显得过于华丽，很可能是仪仗用品。

蛇头纹形铜叉
Bronze Fork in the Shape of Snake s Head

长30厘米

晋宁石寨山3号墓出土

叉为圆形骹，骹侧无钮，骹上饰浮雕的蛇头纹，刃为长方形，前锋分叉，通体银光闪烁，似为镀锡产品。

镀锡又称鎏锡，是滇青铜器上常用的加工技术。锡的光泽仅次于银，而银价值较锡昂贵，且熔点也较高，而锡的熔点为摄氏232度。云南锡的产量至今闻名，可能古代滇国就已开发利用锡，制作大量的镀锡青铜器，以效仿珍贵的银器。凡经过镀锡的青铜器，表面均呈银白色，不仅比原青铜器美观而富有光泽，而且会有较强的防腐蚀性能，致使这些镀锡青铜器深埋地下两千年依然银光发亮。

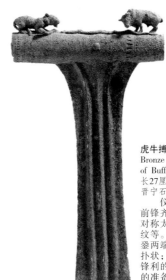

虎牛搏斗铜戈
Bronze Dagger with an Ornament of Buffalo Fighting with a Tiger

长27厘米

晋宁石寨山12号墓出土

仪仗用器，刃呈长方形，前锋齐平，双刃式。骹面刻对称太阳纹、回旋纹、锯齿纹等。一虎、一牛分别处在骹两端，虎前足半卧，作欲扑状；牛则头向下沉，亮出锋利的犄角，做好奋力反抗的准备。虎与牛之间的一场生死搏斗即将展开。

蛇纹铜斧
Snake-patterned Bronze Axe
长15.4厘米
晋宁石寨山71号墓出土

铜 戈
Bronze Dagger
长21.8厘米
晋宁石寨山71号墓出土
　　戈为古代常见的钩刺类
兵器，装上长木柄，成为车
马战中常见的长兵器。此戈
的造型简单，无胡戈的形制
最早出现于商代，流行的时
间和范围都比较广，但纹饰
带有滇文化的印记，是云南
生产的品种。

鱼尾纹铜斧
Fishtail-shaped Bronze Axe
长16.1厘米
晋宁石寨山71号墓出土

吊人铜矛
Bronze Spear with an Ornament
of Dangling Person
长27.5厘米
晋宁石寨山71号墓出土

　　矛刃部长而窄，整体似
一长条形的柳叶。圆形銎，
銎上有人面纹，刃部后端两
侧各吊一裸体男子（一人已
缺），双手反缚，其发下
垂，为受刑之奴隶。

豹衔鼠戈
Bronze Dagger with an Ornament
of Leopard Catching a Mouse
长26、銎宽15厘米
晋宁石寨山3号墓出土

　　銎呈扁圆形，援与銎部
形成交叉形状，前锋收缩略
呈梯形。銎部饰卷云纹、同
心圆纹、锯齿纹等。銎背上
雕铸一豹，呈缓步行走状，
昂首，挺胸，拖尾，嘴里衔
着一鼠。老鼠被猎食者衔于
半空中，头朝下，身体极度
扭曲，作挣扎之状，显然刚
刚被捕获，尚未毙命……

四人一牛铜啄
Bronze Hammer with an Ornament
of Four Persons Tying a Buffalo
长27.5厘米
晋宁石寨山6号墓出土

仪仗兵器，啄刺细尖，扁
圆銎横于啄体形成"丁"字，
銎饰细密云纹、太阳纹、雷
纹、锯齿纹组合成图案。銎背
上原铸四人（其中第二人已残
失）和一牛。第一人背负一
囊，第二人应为牵牛者，惜已
失落。第三人作赶牛状，第四
人右肩扛物（已残剩半截木
棍）。三人服饰相同，均着披
毡，穿短裙长不过膝，戴耳
环。此场面内容似与纳贡有
关。

人形柄铜剑
Bronze Sword with a Human-shaped Handle
长30厘米
晋宁石寨山71号墓出土
　　剑首为猴首人形，裸体，双面对称。猴首顶部有一圆孔。剑身饰螺旋纹及卷草纹。

云南宝系列丛书

战争场面贮贝器盖

Lid of Shell-container with a Fighting Scene

盖径30、高12厘米

晋宁石寨山13号墓出土

器物为贮贝器上的盖，器身残。共铸人物十三名，马一匹，反映了滇人与西面昆明人一场短兵相接的鏖战。中央为一位通体鎏金的骑马的滇国主将，顶盔掼甲，左手持缰，右手持矛，正奋力冲杀，马颈下系一人头，当为被杀敌人首级；四周一群步兵正在与敌军展开惨烈厮杀。双方士兵高不过六七厘米，尺寸虽小，却塑造得十分生动，栩栩如生。一场冷兵器时代战争的场面霍然展开，战况激烈，扣人心弦。

鎏金献俘铜扣饰
Gold-plated Bronze Button Ornament with a Scene of Controlled Captive
高9、宽15厘米
晋宁石寨山13号墓出土

　　正面为掳掠图像，最前一人为武士，戴盔着甲，左手提一人头，右手牵一绳，绳上系着身背幼童的辫发妇女一人，再后为一牛二羊。最后又有一武士，服饰如最前一人，也戴盔着甲，左手提一人头，右手持长柄斧，扛于肩上。其下有一无头尸体及二蛇，蛇作盘绕状。牛羊财物、妇孺人口、敌方的首级，战争的目的或许就是这样的满载而归。

"河内工官"弩机

Decorated Bow Controller

长10.5、宽17.4厘米

江川李家山13号墓出土

弩，是古代战争远距离兵器的重大发明。弩的出现，提高了弓箭发射的距离、准确性和瞬间发射速度。其最重要的部件就是弩机。该弩机部件上有篆书铭文："河内工官二百八十两"，显然是来自中原的先进兵器。

战争场面贮贝器上的射弩人物

Shell-container with a Battle-
scene and a Bowman

云南新宝系列丛书

立鸟铜钺
Bronze Battle–axe with a Bird–
ornament
长18.6、高11.3厘米
晋宁石寨山71号墓出土

立鸟铜戚

Bronze Battle-axe with a Bird-ornament

长122、刃宽8.5厘米

江川李家山21号墓出土

　　器物出土于滇高级贵族墓中。扁圆銎；实心柄，柄端铸一立鸟，其侧系一铃；柄与戚铸为一体；圆形刃，中线起脊，至前锋成尖形。器物似为随葬之礼仪类兵器。

猴饰铜钺

Bronze Battle-axe with a monkey Ornament

高14.4、宽20厘米

晋宁石寨山12号墓出土

　　钺是中国古代仪仗兵器。扁圆形銎，弧形刃；銎饰回旋纹、菱格网纹；銎侧铸一猴，正在顺銎攀爬。猴首高昂，长尾垂地，四肢作弯曲状，其中两前肢用力踩踏一蛇，张嘴咬住蛇头，显露出胜利者的神情。

云南新宝系列丛书

金臂甲
Gold Arm-armor
高18.8厘米
晋宁石寨山12号墓出土
　　属防护类兵器，呈圆筒状，上粗下细，与人的手臂相合，通体无纹饰，筒侧开口，边缘有长方形穿孔，供系绳紧束。器物造型规整，做工精细。

金臂甲
Gold Arm-armor
高19厘米
晋宁石寨山3号墓出土
　　金臂甲片一组三片。1994年云南江川李家山发掘也出土形制一样的三片铜甲片，穿联组合正好与人手臂相吻合。以此推断，石寨山的这三片金甲片当为金臂甲。

刻纹铜臂甲
Ornamented Bronze Arm-armor
高23厘米
江川李家山13号墓出土

　　属防护类兵器,呈圆筒状,上粗下细,与人的手臂相合,筒侧开口,边缘有对称的穿孔两列,供系绳紧束。甲面有精细刻纹,刻纹内容丰富,有虎、豹、熊、猴、鹿、鸡、鱼、虾等十余种虫兽纹,形象生动、自然,线条流畅,是青铜器针刻艺术中难得的精品。

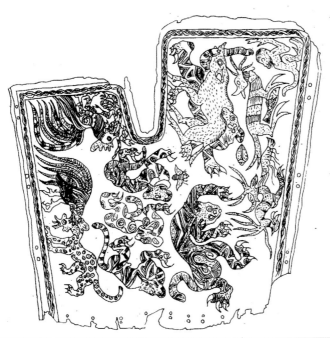

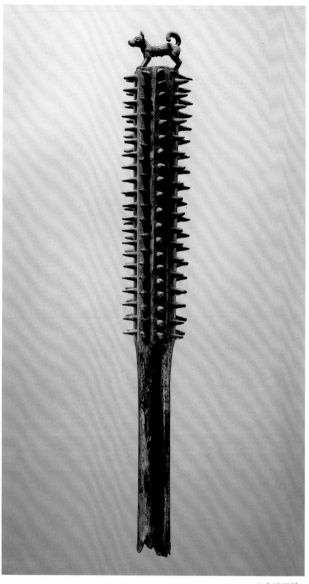

立犬狼牙棒
Wolf-teeth Club with a Dog-
ornament
长45厘米
江川李家山21号墓出土
　　器物表面排列整齐的钉
状锥刺，顶端饰一犬；犬呈
站立状，铸造时微有错范。
是滇人很少使用的一种兵
器，可能来自于北方。

猎首纹铜剑
Ornamented Bronze Sword
长28厘米
江川李家山采集
　　器物为一字格；空心圆
柄；刃近格处铸一人像；柄
部亦铸一人，右手持剑，左
手提一人头，反映了滇文化
中的猎头习俗。

压花牛纹金剑鞘
Ornamented Gold Sword-sheath
长74厘米
晋宁石寨山6号墓出土

压花牛纹金剑鞘
Ornamented Gold Sword-sheath
长49厘米
晋宁石寨山71号墓出土
由三段组合而成，每段均有压印图案及纹饰。上段由凸起的牛首形图案、麦穗纹等纹饰构成；中段由三小节组成，每节皆饰凸起之折线纹；下段饰凸起的圆圈纹、连续回旋纹及麦穗纹。

［云南新宝系列丛书］

鎏金孔雀纹当卢
Peacock-patterned Gold Orn-
ament for Horse
高13.6、宽6.8厘米
晋宁石寨山7号墓出土

为椭圆形铜片，上小下大，经锤碟锻打工艺，使正面形成凸起的孔雀纹：孔雀展翅侧立，回首张口作鸣叫状。云南古代民族骑马历史悠久，出土的滇青铜器上马的形象已充分反映了西汉中期骑马的情况。滇国马饰、马具均臻完善，不仅出现装备齐全的马鞍、辔饰、马衔也已俱全，装饰于马面的当卢也非常精致。

包金铜辔饰与节约
Gold-plated Bronze Ornament
晋宁石寨山71号墓出土

此为战马胸前的饰物。辔饰每件由两枚组成。上一枚左右两侧边缘平直，正面中央凸起一乳钉，背面左右各有穿孔一，下端有圆环，与下一枚椭圆形片饰相连，椭圆形片饰正面中央凸起一乳钉。上一枚质地为铜质包金，下一枚似银质或锡质。节约为马辔连接处的饰物，边缘饰连珠纹一周，正面中央凸起一乳钉。质地为铜质包金。

叠鼓形战争场面贮贝器
Shell-container with a Fighting Scene
高53.9、盖径33厘米
晋宁石寨山6号墓出土
　　整器为上下重叠两鼓，用铜焊接。有底有盖，器内贮贝。两鼓器身纹饰相同，胴部各铸有羽人及木船图饰六组；腰部饰牛形和舞人形纹。足部及胴部上刻有以三角齿纹和同心圆涡纹为主的带形纹饰。盖上为战争场面，有人物二十二人，马五匹。盖中央有一骑士，形体较大，似为主将。此人戴盔掼甲，右手执矛，作下刺之状。贮贝器反映了步兵协同骑兵作战的场面，表现了一次战争的全过程。战场上攻守武器兼备，马战步战结合，近距离武器与远程武器皆有，是研究古代战争的重要资料。

滇人的服饰与装束

Clothes and Ornaments
of Dian People

The attration of the Dian bronze wares is not only related to the description of war and religion but to the visual information about the colorful social life. The bronze wares in a realistic and natural style made by Dian people describe numerous details about the life and production of the ancient people. This type of rare scenes is seldom found in other areas, which is the most attractive part in the Dian bronze civilization. The cowry-storing ware with weaving scenes unearthed at Shizhaishan in Jinning County shows us over ten women weaving. It is the first time that modern people could clearly see how the ancient people wove cloth. Since then, it has become an inseparable part in the history of weaving and costume-making of China. With a careful comparison and study, the experts have found that there are six or seven different styles of costumes and more than ten hair styles presented on the bronze wares. The most typical dress for the majority of ancient Dian people was a kind of old Chinese-style long dress with buttons down the front which was the favorite of men and women. Women's dress was a type of corsage with a round inner collar, short and broad sleeves. The lower part was a short skirt. It was embroidered with fine brocade on the collar of long dress, sides of the front, back, collar of underclothes and the edge around the skirt. There were many types of hair style for women. The formal style was a high wispy bun, while the daily dressing was a sycee-shaped bun down at the back of the head. Women usually wore jewelry as decoration. The hair style of the ancient Dian men was a mallet-shaped bun pointing to the sky. Men usually wore a long dress with buttons down the front. For the lower part, men wore a piece of cloth tied up to the waist without trousers. Men also wore a belt on the waist with round buckle decorations.

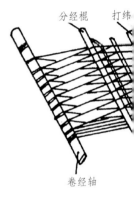

分经棍　　打纬

卷经轴

铜纺织工具
Bronze Weaving Tool
长34~46厘米
晋宁石寨山17号墓出土

从纺织场面贮贝器上可以看到，滇人的纺织技术主要是踞织，或称腰织。即把经线固定在腰与腿之间，用身体拉伸进行操作。这样的方式虽然还很原始，但已充分具备了纺织的基本要素。从发现的这套工具看，其技术使用已经很成熟了。有趣的是，今天云南一些少数民族依然使用这种土法织布，工具也与此大同小异，成为了纺织史上的活化石。

云南新宝系列丛书

滇人佩饰画像及示意图
Picture of Dian People with
Ornament and its Sketch
Drawing

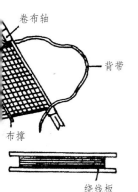

卷布轴

背带

布撑

绕线板

滇青铜器的精彩内容不仅仅在于国家机器推行的宗教和战争，更在其丰富的社会生活的形象资料。在滇人细腻生动的自然主义写实风格的青铜器上保留了大量古滇人生产生活的细节，这种珍贵的资料在其他地方十分罕见，成为滇青铜文明中最吸引人的地方。据说最早引起学者关注的，是晋宁石寨山发现的那件纺织场面贮贝器。在这件器物上，罗列了十余名正在纺织的妇女，这是当代人第一次如此清楚地看到古人是如何织布的。从此以后，它成为中国纺织史、服装史中不可不提的一环。

在长沙马王堆发现以前，我们无法真正地了解汉代以前的人们究竟穿什么样的衣服、梳什么样的发式、吃什么样的食物，所有的情形都来源于通过文字的想像。石寨山的发现，可谓一石击破水中天，时至今日，云南青铜器上的纺织、服装、装饰依然是研究古代服饰的重要素材。

> （永昌）有桑蚕、绵绢、采帛、文绣。
>
> 有兰干细布，兰干，獠言苎也。织布纹如绫锦。
>
> 有梧桐木，其花柔如丝，人绩以为布，幅广五尺以还，洁白不受污，俗名桐华布。
>
> ——《华阳国志·南中志》

服饰是现代民族自我识别的重要标志，想来古代的滇人也不外于此。经过认真的比对研究，学者们在青铜器上发现了六七种不同类型的服装样式，十余种发式。可以想见，当年的云南也是和现在一样民族文化丰富多彩吧。

在一件被称为贡纳贮贝器上，集中体现了当时滇池地区活动的人的服饰各异，似乎来源于不同的地域。其中有编发的"昆明人"，也有的上着紧袖短衣，下穿长裤的"胡服"。一般认为这种胡服与北方骑马民族有关，战国时候赵武灵王变革，提倡这种胡服，从而提高骑马的能力。此外，还有许多服饰，无法肯定是从哪里来的，但其中最重要的，是滇国的主体民族——滇人。

滇国男女都喜着对襟长衫，与中原斜衽的服装迥异。女装袖较短宽，不系不扣，显露出长衫内的圆领短胸衣。下着短裙，短不过膝。长衫的领口、襟边、背部，内衣的领口和短裙裙边均有挑绣锦饰。滇国女子的发式很多，盛装为高髻，而日常的装束就只把脑后下垂的发梢挽成银锭形发髻，很接近于古书上的倭堕髻。

　　头上倭堕髻，耳中明月珠。

——《乐府·陌上桑》

　　据说这种倭堕髻就起源于南方，汉时传入中原，很快盛行一时。既然汉代民歌中的美女罗敷耳中有形似明月的耳饰，滇国的美女自然也不愿落人之后，有时她们的耳饰还更为复杂。再加上绿松石、玛瑙等制作的首饰，金玉制作的手镯、臂钏，自然雍容华贵。

　　其中，各种玛瑙、绿松石的加工也不能不提。滇人的玉石加工技艺高超，许多青铜器上都镶嵌有很小的绿松石片，加工极其精美。绿松石的硬度为6度，质性较脆，且不论当时加工工具的硬度是如何达到的，就是以现代技术手段制作如此大量的工艺、如此精细的绿松石，也是一件十分困难的工作。还有就是一些玛瑙已经采用了蚀花工艺，这种技术来自西亚，最早出现在巴基斯

云南宝系列丛书

纺织场面贮贝器
Shell-container with a Weaving Scene

高21、盖径24.5厘米
晋宁石寨山1号墓出土

　　铜鼓形，腰部焊接四飞鸟，造型小巧秀丽。盖上铸有人物十八人，最显著的位置是一鎏金的妇女，体量高大，周围有三名侍女服侍，显然地位尊贵。外围八人在她前面围成一圈，正在进行纺织工作。外围八人发式各不相同，进行的工序也不一样，恰好构成了理线、穿经、踞织、整理等各道工序，从中能清楚地看到古代纺织的整个经过，是了解纺织工艺发展的生动资料。

坦信德省的萨温城。它运用玛瑙在特殊环境下受热变红的特性，提高玛瑙的红色，同时在上面装饰美丽的纹饰。后来西藏、尼泊尔等地制作的"天珠"，也是用此方法。

　　滇国男子的服饰相对就简单许多，一般他们都头梳椎髻，身着对襟长衫，下不着长裤，只在胯下系一布带并上束至腰际，腰束宽带，腹正中饰圆形扣饰。这种圆形扣饰在滇国墓地多有发现，可见其重要性。有些男子外披斗篷，而今天的彝族男子也多用斗篷，名为"擦耳瓦"，应是古风犹存吧。

跪坐俑杖头饰
Cane Ornament in the Shape of a Kneeling Figurine
通高7.4厘米
江川李家山68号墓出土
　　青铜器上大量的人物形象，是认识滇人最直观的资料。这件铜、玉结合的杖饰，应是一件礼仪用品。男俑头顶挽髻，双手抚腿，跪坐在一玉管上；玉管下有圆形銎（已残），可以安装木质的杖。

纺织场面贮贝器

Shell-container with a Weaving Scene

高47.5厘米

江川李家山69号墓出土

　　1992年在江川李家山发现的这件纺织场面贮贝器与晋宁石寨山最早发现的纺织场面贮贝器如出一辙，惟中间鎏金的女贵族身后多了一个撑伞的侍女。可见纺织在滇国的生活中是如此重要，以至于不断地出现在国家重器上。按照上古神话中黄帝的妻子发明了纺织技术的说法，或许这位鎏金的贵族也就是滇王的王后吧。

贡纳场面贮贝器
Shell-container with a Scene of Offering Tributes
高39.5厘米
晋宁石寨山13号墓出土

　　此器原状为重叠的两鼓组成，出土时上鼓已残失。在下鼓面边铸雕立体人物、牛马等二十一个。人物按其发式、装束及行进之状大致可分为七个族，每组多者四人，少者两人。其中首者皆盛装佩剑，当为酋长形象；后随者或牵牛引马，或负物，应为部族成员。从整个场面看，几组人物服饰各异，似来自不同的地域，反映了当时滇国周边民族及文化情况，显示出滇池地区的对外交流十分发达。

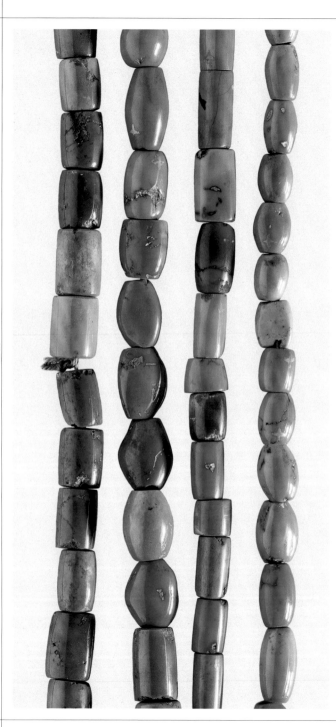

[云南珠宝系列丛书]

绿松石珠串饰
Turquoise Strung Beads
晋宁石寨山12号墓出土

玉耳玦
Jade Ear-ornament
晋宁石寨山2号墓出土

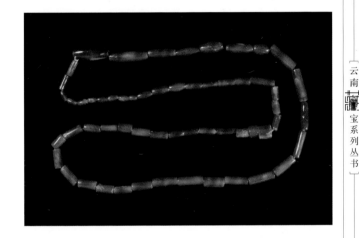

玛瑙珠串饰
Agate Strung Beads
晋宁石寨山13号墓出土

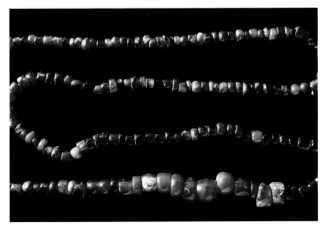

玛瑙珠串饰
Agate Strung Beads
晋宁石寨山12号墓出土

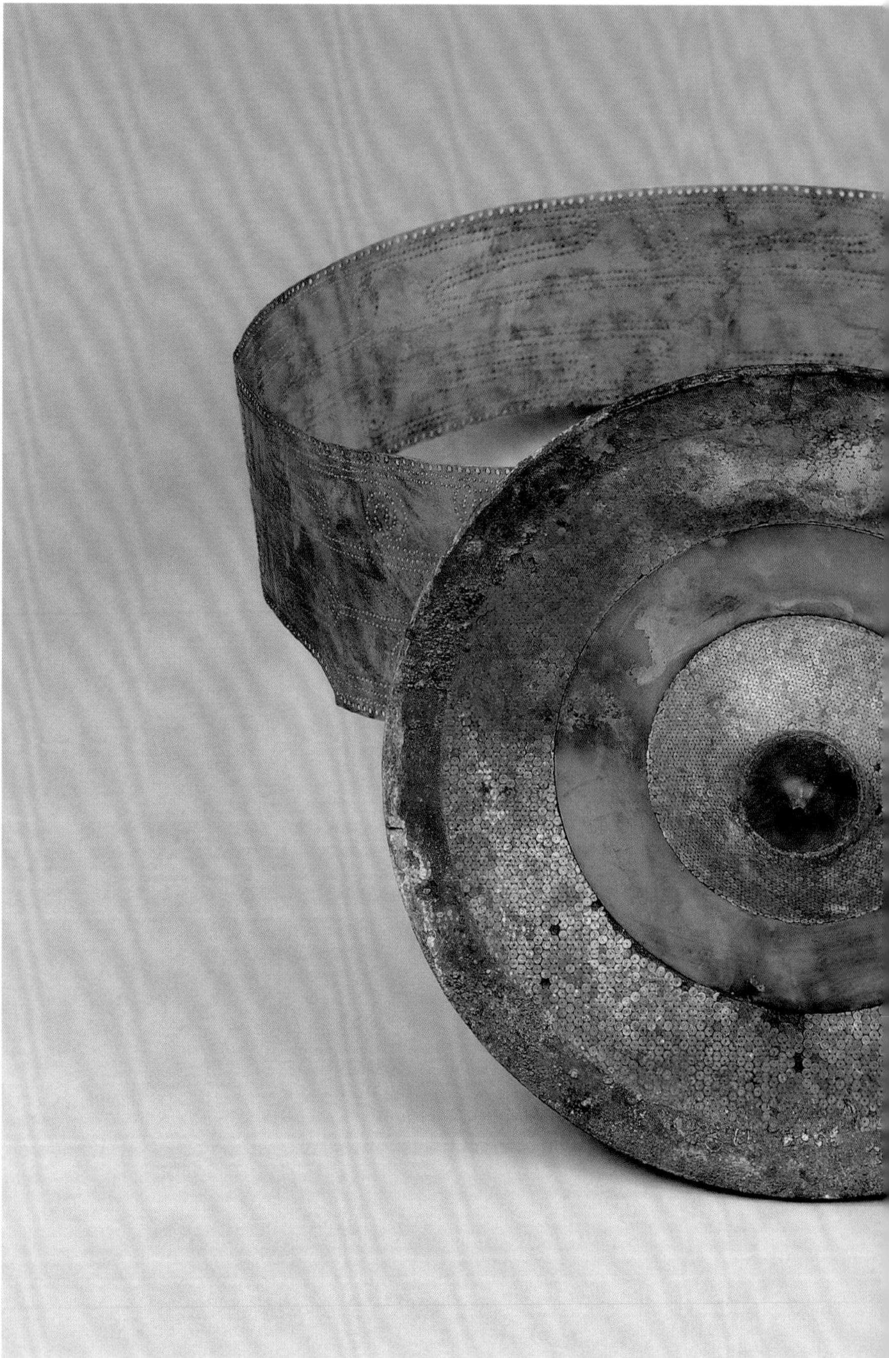

金腰带及铜扣饰
Gold Waistband and Bronze
Button Ornament
带长96.5、扣饰径20.5厘米
江川李家山51号、47号墓出
土

　　腰带与扣饰一同出土，
带为黄金打制，上下沿有小
孔，可能是连缀布腰带的线
孔，前面有两孔为插扣饰之
用。这样的组合，能让我们
清楚地看到当年滇人使用扣
饰的方法。

圆形卷云纹铜扣饰
Round Bronze Button Ornament
with a Pattern of Swirling Clouds
径17.5厘米
晋宁石寨山15号墓出土

正中嵌一白色玛瑙扣，周围嵌孔雀石小珠，其外嵌有玉环一件，再外一周先铸出弦纹及卷云纹图案，然后用孔雀石镶嵌其间，边缘有条带纹一周。

圆形孔雀纹铜扣饰
Round Bronze Button Ornament
with a Pattern of Peacock
径17厘米
晋宁石寨山13号墓出土

正面中央一孔雀作开屏状，孔雀的头与胸部为圆雕，尾及两足为漆绘，边缘有条带纹一周。

舞俑铜杖头
Bronze Crane-handle Showing
a Dance Performance
高11厘米
晋宁石寨山1号墓出土
　　杖头鼓形座上立一舞
俑，头挽发髻，穿右衽长
衣，腰束带，双手作舞蹈
状，装束在滇人中少见。

持伞女俑
Female Figurine Holding an Umbrella
高46厘米
晋宁石寨山20号墓出土

　　为一女俑并膝跪坐，两小臂身前平举作持伞状（伞已佚）。头梳银锭髻于颈后，戴成组耳环，戴手镯，上身着无领对襟广袖长衫，下身着裙，跣足，为滇人妇女常见装束。出土时，置于随葬铜鼓或贮贝器上的棺木两端。

云南
文物
珍宝系列丛书

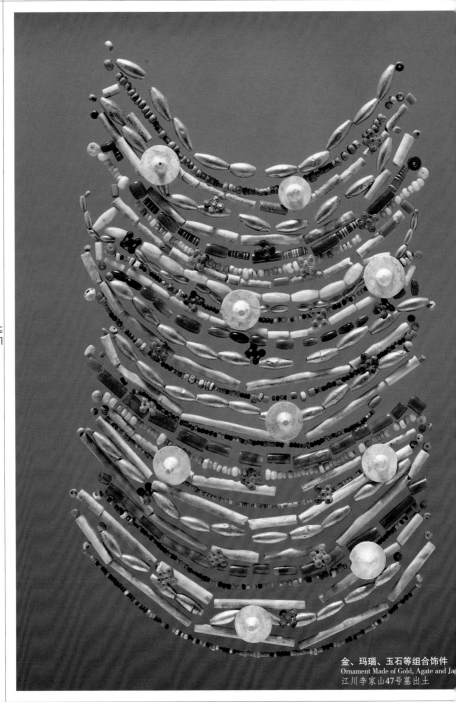

金、玛瑙、玉石等组合饰件
Ornament Made of Gold, Agate and Ja
江川李家山47号墓出土

蜻蜓眼琉璃珠
Dragonfly-eye-like Glazed Balls
晋宁石寨山6号墓出土
　　琉璃即玻璃的古称，世界上最早的玻璃出现于古埃及，这样的玻璃珠是外来技术与中国加工技艺结合的产物。

玉璧形镯
Jade-like Bracelet
径10.8厘米
晋宁石寨山13号墓出土
　　器表面光洁滑润，有玻璃光泽，内缘向两面突唇，截面呈"T"字形。

兽形金片饰
Gold Ornament in the Shape of Beast
长10.5、宽6厘米
晋宁石寨山6号墓出土
　　头顶有如鹿角般犄角，尾上卷又似犬，似兽但形体怪异，作屈身俯卧状。其边缘有可供穿系的细孔，一组六片，可两两相对。出土于石寨山6号墓滇王墓，根据发掘随葬品摆放位置，似为古滇葬服珠褥上使用的饰品。

金发簪
Gold Hairpin
长23~16厘米
晋宁石寨山1、2、12号墓出土

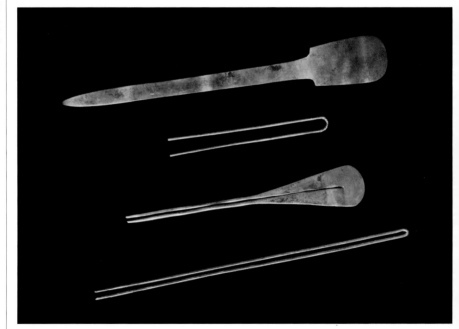

金 钏
Gold Bracelet
径7.5~8、厚0.08厘米
晋宁石寨山1号墓出土

　　用薄金片制成，出土时成组戴于墓主手臂，当为装饰手臂的金臂钏。部分表面无纹饰，但部分有用锥刺出米点卷云纹装饰。

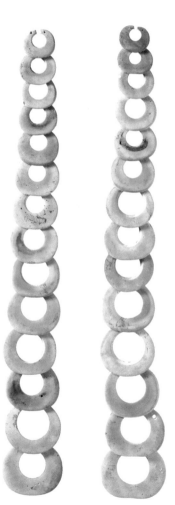

玉耳玦
Jade Ear-ornament
最大 4.4 × 3.5、最小 2.1 × 1.7厘米
晋宁石寨山13号墓出土

　　玉质表面光洁平滑，不透明，灰白色。器物均呈扁圆环状，上端正中有缺口，环至缺口处变窄，两端钻有细圆穿孔，圆环素面无纹饰，但规整，大小相依有序。出土多相叠为一组，对称置于墓主左右耳部。

　　据《华阳国志·南中志》和《后汉书·西南夷列传》称，云南古代有"儋耳蛮"，"其渠帅自谓王者，耳皆下肩三寸，庶人则至肩而已"。《说文》曰："儋，垂耳也。"滇人喜大小相依成组地佩戴于耳，出以绳索系挂于耳，势必要下垂至肩，这与文献所载的称云南有"儋耳蛮"的记载相吻合。

持伞女俑
Female Figurine Holding an Umbrella
高26.5、宽13、厚17厘米
晋宁石寨山18号墓出土

俑为女性，梳银锭髻于头后，发髻上插一发簪，佩耳环，戴宽边镯，颈系珠串项链。披毡上刻有孔雀、鹿、狼及蛇纹图案，腰束带，带上有圆形扣饰，踞坐，跣足，双手相合作持伞状。

女跪俑杖首

Crane-handle in the Shape of Kneeling Female Figurine

高18厘米

江川李家山18号墓出土

器物可分为两部分：上部分为一女子形象，人物披发于后背，耳佩大环，穿圆领短袖对襟上衣，右手下垂，左手抚于胸，跽跪于一铜鼓之上；下部分为圆形銎。

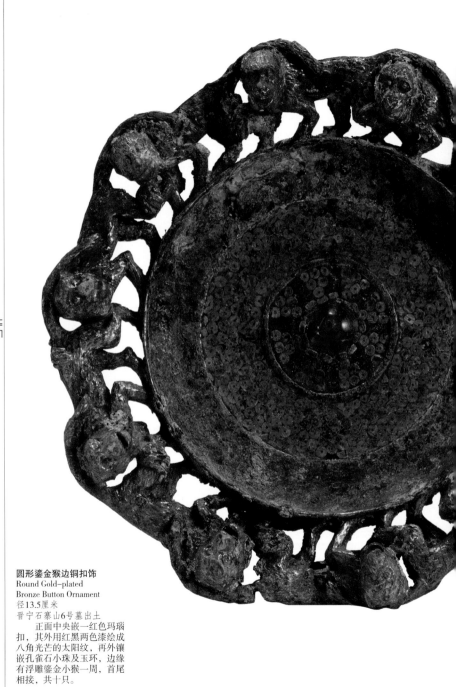

圆形鎏金猴边铜扣饰
Round Gold-plated
Bronze Button Ornament
径13.5厘米
晋宁石寨山6号墓出土
　　正面中央嵌一红色玛瑙
扣，其外用红黑两色漆绘成
八角光芒的太阳纹，再外镶
嵌孔雀石小珠及玉环，边缘
有浮雕鎏金小猴一周，首尾
相接，共十只。

圆形金饰件
Round Gold Ornament
径10厘米
晋宁石寨山71号墓出土

95

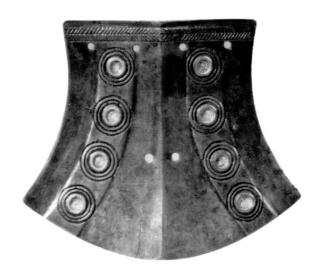

错金银饰片
Gold–silver Ornament
高7.7厘米
晋宁石寨山12号墓出土

飞虎纹银带扣
Ornamented Silver Button
长10.1厘米
晋宁石寨山7号墓出土
　　整体呈长方形，造型与现
在腰间用的皮带环相似。其
器形奇特，装饰华丽，正面
有凸起的花纹，中央为一只
有翼虎，前爪抓一树枝形
物，翘尾昂首，双目炯炯，
虎眼镶嵌黄色透明琉璃珠，
全身错金片或绿松石小珠，
形象十分生动。虎身后为山
石和云雾。这种带扣的形制
和上面的有翼虎，都明显与
北方草原文化一脉相承，很
可能就来自遥远的北方。

持伞铜俑
Figurine Holding an Um[...]
俑高51、通高104厘米
晋宁石寨山1号墓出土

滇国的贵族，常常[...]
持伞盖的侍从为其遮[...]
强烈的阳光。死后的[...]
有随葬的铜俑为其撑伞[...]
许这是为了显示墓主[...]
贵，或许是滇人有着[...]
生的信仰。

持伞铜俑
Figurine Holding an Umbrella
高57.4厘米
晋宁石寨山71号墓出土

为一男子，头顶梳螺
髻，披毡，佩耳环，戴项
链，腰束带，带上有圆形扣
饰，佩短剑，踞坐，跣足，
双手相合作持伞状。

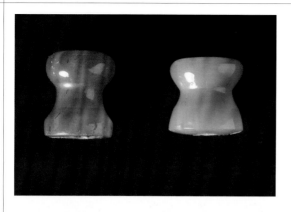

红玛瑙鼓形珠
Red Drum-shaped Agate Beads
高1.2~1.6厘米
晋宁石寨山13号墓出土

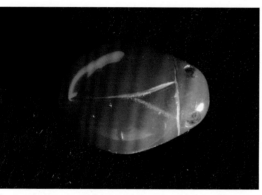

红玉髓蝉形扣
Red Agate Cicada-shaped Button
长2.4、宽1.6、厚0.5厘米
晋宁石寨山12号墓出土
　　红玉髓，质红色艳丽，
晶莹剔透。运用蝉有蜕变之
意，希望死者死后还能再
生。

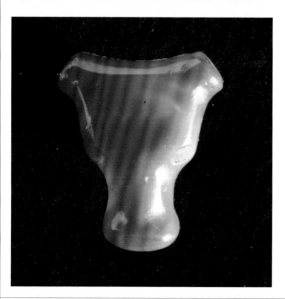

红玉髓牛头饰
Red Agate Ox-head-shaped
Ornament
高2.5、宽2.2~1、厚0.7厘米
晋宁石寨山12号墓出土
　　红玉髓，质红色艳丽，
晶莹剔透。两牛耳中有横
穿，且在横穿中另有一纵穿
至牛吻，为装饰用的坠饰。

绿松石蝉形扣
Turquoise Cicada-shaped Buttons
晋宁石寨山13号墓出土

绿松石兽头形饰件
Turquoise Beast-head-shaped
Ornament
晋宁石寨山16号墓出土

玛瑙及蚀花石髓珠串饰
Agate and Agate-like Strung
Beads
长1~7.2厘米
晋宁石寨山12、13号墓出土
　珠子形多数呈枣核状，
仅有两件为圆柱管形。为玛
瑙，表面经磨平抛光，呈色
鲜艳绚丽、半透明、光泽甚
佳。两端截平，中央穿孔一
贯两端，由两端孔径大于中
间孔的特点看出为对钻法穿
孔，端口圆。

鎏金双人盘舞铜扣饰
Gold-plated Bronze Button Ornament
高12、宽18.5厘米
晋宁石寨山13号墓出土
　　器物为两男性作舞蹈状，高鼻深目，形象奇特，头后均挽一小髻。着紧身衣裤，其上有纹饰，腰间佩长剑，两手伸开，手中各持一盘作舞蹈状。其下有一蛇，蛇口咬住一舞蹈者之后脚。

滇国的经济与生活

On the bronze wares unearthed at Shizhaishan, it could be found that Dian people owned a developed agriculture and conducted a variety of economic performances such as livestock, hunting and fishing. It could be supposed that trading in the Dian Kingdom should be very prosperous because many relics found were related to the cultures of the Central Plains of China, the Indian Ocean and the Northern Grassland. The development of agriculture in the Dian Kingdom owned much to the Government of the Kingdom. Many relics of refined farming tools unearthed and religious activities related to agriculture show the importance of agriculture in the social activities performed in the Dian Kingdom. With much developed agriculture in the Dian Kingdom, more grains were available for fine wine making. Cattle was the main resource for food and the religious ritual in the Dian Kingdom, resulting in many relics found with the decoration of high-humped cattle, which could be the local high-humped cattle usually seen in the southern part of Yunnan today. The scenes of cattle grazing on the bronze wares unearthed at Shizhaishan gave a good illustration of livestock production conducted by Dian people.

In ancient times, Dianci Lake was larger in size and the area around Dianchi Lake was densely covered with forest, inhabited by many kinds of fishes and wild life, which were the targets for fishing and hunting, for fishing and hunting activities were described on the bronze wares unearthed.

纹饰·杀人祭柱场面贮贝器身上的狩猎图
Shell-container with a Scene of Hunting and Killing as Sacrifice to the Sacred Pole

尖叶形雉鸡纹铜锄
Tapering Ornamented Bronze Hoe
长28.5、宽20.5厘米
晋宁石寨山5号墓出土

　　整体似一前尖后阔的树叶，前锋呈锐角，后端呈钝角，銎作三角形，凸起于锄身正中，锄两侧各刻一只站立的雉鸡。可能用于与农业有关的祭祀仪式，不一定是实用器。

　　"仓廪实而知礼节"，滇人创造的青铜文明，是建立在滇国发达的经济基础之上的。从石寨山发现的青铜器上，可以看到滇人有着发达的农业，同时开展畜牧、渔猎等多种经营。而且从发现的大量来自中原、印度洋和北方草原文化的器物推想，滇国的商业也应该是十分繁荣的。

　　滇人农业的发达得益于国家的重视。在石寨山发现了许多制作精美的农具，其中有些尖叶形锄上还以极细的线条，刻上孔雀、牛头等纹饰，显然很难想像当时的人们会奢华如此地步来制作生产工具。联想到滇人的籍田、上仓等宗教活动，对照后来皇帝们在先农坛举办的仪式，显然这些农具是滇王躬耕的礼器。正是这种国家的重视，加之农业耕作技术的进步，滇国的农业达到了极高的水准，从而有更多的粮食来酿制美酒。

　　这其中有一个小插曲。最先发现那些尖叶形锄时，因其形似犁地的犁铧，而且同时有许多牛的形象出现，曾经把它误认为犁。后来经过研究，发现这种尖叶形锄在滇西地区仍有使用，显然不是犁铧。青铜器上大量牛的形象应是现在滇南地区常见的峰牛，背部高耸，主要是运输工具，也是肉食的重要来源。在古代，牛是最重要的美食，在石寨山青铜器中反复出现。在中国古老的甲骨文中，"牛"也是使用最频繁的字之一，而且许多甲骨文中提到的使用牛的祭祀活动，在石寨山青铜器上可以得到印证。如"卯"，甲骨文形似两片展开的肉，表示把牛肉分成两半后用于祭祀，在石寨山的一个屋宇模型上赫然展示了牛头、牛肋以及前后腿的半头牛。正是牛的重要性，牧牛的场面也出现在石寨山青铜器上。

　　由此可见，古人的许多宗教活动与社会生产息息相关。石寨山有许多反映狩猎活动的青铜器，一件贮贝器上一位鎏金的骑士带着猎犬追杀一头鹿，旁边还有随从协助，我们很难分清楚他们是在真的打猎还是进行祭祀活动。还有一件猎虎扣饰，同样带着猎犬刺杀猛虎的八名盛装男子，其装束神情，俨然是在进行一场表演。古代皇帝在每年都要进行"春搜秋狝"，在诸如木兰围场的地方进行围猎，既是一种宗教活动，更是一场军事行动，用以训练皇室的战斗力，石寨山青铜器上的狩猎活动大概就是这样吧。当年的滇池地区森林密布，水域广阔，许多的动物显然作为重要的食物来源，成为渔猎的目标。在一件铜鼓的身上，有一组狩猎的纹饰，猎手衣服与那些武士不同，或许他们才是真正的猎手。

双凤纹铜锄
Bronze Hoe with a Pattern of Two Phoenixes
长20.5厘米
晋宁石寨山13号墓出土

蜀郡铁锸
Spade-like Iron Tool
高12.6厘米
晋宁石寨山出土

到滇文化后期，来自中原的器物逐渐增多，在与汉文化的碰撞中，云南获得了更为先进的技术。来自四川地区的铁制农具——铁锸，表明云南的农耕文明，随着汉文化的传播，走向了更高的层次。

阔叶形孔雀牛头纹铜锄
Broad-leaf-shaped Ornamented Bronze Hoe
长28.5、宽20.5厘米
晋宁石寨山12号墓出土
叶锄前端齐平，后端呈椭圆形，銎作半圆形，凸起于锄身正中。锄两侧有线刻的牛头纹和孔雀纹。

［云南 宝系列丛书］

直柄葫芦笙
Gourd Musical Instrument
with a Straight Handle
长60厘米
晋宁石寨山17号墓出土
　　在直管的上端焊接圆雕的虎噬牛图案，下面有一个较大的圆孔，背面六个长方形孔；直管的下端为一圆球体，圆球正面有一个很大的圆孔，似铜勺形状，吹奏时可起共鸣作用。

细颈铜壶
Small-necked Bronze Vase
高40.2厘米
晋宁石寨山14号墓出土

立牛铜壶
Bronze Vase with an Ox-
ornament
高35.5厘米
江川李家山24号墓出土
　　器物呈直口、细长颈、
圆腹、小平底，形似一胆式
瓶；器盖呈鼓形，盖上雕铸
一立牛，头微仰，尾下垂，
显得娇小可爱。

立牛铜尊
Wine Container with an Ox-
ornament
高31厘米
江川李家山17号墓出土
　　器物呈侈口、鼓腹、平
底，似喇叭筒状高圈足；盖
呈豆形，表面饰鸟纹和竹节
纹；盖上雕铸一立牛。尊、
壶等酒器的出现，表明滇人
已有饮酒的习俗。酒的出现
是农业发达的重要体现。

八牛虎耳贮贝器
Shell-container with a Scene of
Buffalo and Tiger
高49、盖径30.4厘米
晋宁石寨山13号墓出土

为束腰圆筒形，平底，底足为五只兽爪形足；虎耳，虎作回首状。盖上铸八牛。器身满刻纹饰，共四层，第一层为孔雀，第二层为雉鸡，第三层为马，第四层为牛。

牛头铜扣饰
Ox-head-shaped Bronze Button
Ornament
高9、宽11.2厘米
晋宁石寨山13号墓出土
　　扣饰由大小两牛头及两
头小牛组成。大牛的额顶重
叠一小牛头，大牛的双角上
又各卧一小牛。其下有蛇盘
绕，蛇口咬住大牛头上的双
耳。背面有矩形扣。

牛头扣饰
Ox-head-shaped Button Ornament
高9.8、宽19厘米
晋宁石寨山6号墓出土
　　扣饰由大小三牛头组成。一大牛头的左右两角上各有一小牛头，三个牛的额上均有心形图案，背面有矩形扣。

牛头铜扣饰
Ox-head-shaped Bronze Button Ornament
高9、宽24厘米
晋宁石寨山71号墓出土
　　两圆眼，口微张，两圆鼻孔镂空，颈部较粗，左右对穿两个小圆孔。圆角，两角向下弯曲后上翘，角根下两耳朝外。

牧牛铜器盖
Lid of Bronze Article with a
Pasturing Scene
径10、高7厘米
晋宁石寨山10号墓出土
　　倒圆锥形，顶部正中踞
坐一牧童。身背斗篷，一手
扶杖，闭目养神。其下有三
牛环绕，嘴微张，尾上卷，
作休憩状。

二人缚牛鎏金铜扣饰
Turquoise Bronze Button
Ornament with a Scene of Four
Persons Tying a Buffalo
长15、宽10厘米
晋宁石寨山71号墓出土
　　一牛居中，头套绳索，
两角硕壮。头后站立一人，
双脚蹬地，右手按牛肩，左
手似作牵拉状。牛尾后亦站
立一人，双脚蹬地，头后
仰，双手置于牛尾背上作推
状。二人均赤足。下端一长
蛇，口衔牛前缚牛人的左
脚。背面有矩形扣。

［云南藏宝系列丛书］

女骑士扣饰
Button Ornament in the Shape
of Female Rider
高8.5、宽11.5厘米
晋宁石寨山6号墓出土
　　表现一鎏金女骑士策马
奔驰的场面。

八人猎虎铜扣饰
Bronze Button Ornament with a
Scene of Eight People Hunting
a Tiger
高11.5、宽13厘米
晋宁石寨山17号墓出土
　　八人两犬共猎一虎，其
中六人持矛刺虎，一个被虎
撞倒在地，仍用剑刺虎头，
另一个也倒地，颈部已被老
虎咬断，似已死亡。两猎犬
扑向虎背，其中一犬咬住虎
的颈部，另一犬咬紧虎后
背。以上八人服饰，发型相
同，头顶皆挽高髻，耳佩
环，着对襟短袖上衣，跣
足。

叠鼓形狩猎贮贝器
Shell-container with a Scene of Hunting
高62.1厘米
晋宁石寨山71号墓出土

为两鼓上下重叠焊铸而成，有底有盖，器内贮满贝壳。上面一鼓腰足部焊铸四鹿，下面一鼓腰足部焊铸四牛，胴部与腰部交接处有四绳纹耳。器盖上铸有主体狩猎场面：共三人，身均背长剑。两人骑马、左手提马缰，右手握兵器（已残），策马共同追杀一奔跑中的鹿，其中一人通体鎏金。另一人站立于器盖中央，双手执长兵器（已残），欲猎杀另一鹿。此人前后各有一犬，分别欲扑向两鹿。两骑士马下分别有一兔、一狐。器身满刻狩猎纹饰。

二人猎猪扣饰
Button Ornament with a Scene of Two People Hunting a Boar
高6.5、宽12.3厘米
江川李家山13号墓出土

　　狩猎对于滇国奴隶主贵族而言，不过是练习战斗技巧和闲暇娱乐的一种方式，但是对于辖境内的中下层人民来说却是一项重要的生活来源，有着非常重要的意义。二人猎猪扣饰采用写实手法，再现了滇族中下阶层狩猎者的一次艰险的猎猪经历：一头硕大的野猪占据了画面近四分之三的位置，在它的后面，一位猎人已经出手，并将一柄匕首深深地插入猪的后臀。又痛又惊的野猪拼命反抗，结果是前面另一位猎人被它张口齐腰咬住，双脚腾空，脸现惊惶之色，以至于本能地用双手死死抱住身前的一只猎犬，似乎在请求猎犬救他脱离险境……一场惊心动魄的猎捕与反猎捕的战斗正进行得紧张、激烈，如火如荼。野猪作垂死的挣扎，猎人也在绝望中悲号，谁才是猎捕中的胜利者？

五牛一鼓贮贝器
Shell-container with a Scene of Five Buffalo and a Drum
高31.2、盖径16厘米
江川李家山17号墓出土

　　器身呈圆筒形，腰部内收，三足，典型的束腰圆筒形贮贝器类型。器盖上雕铸五牛和一鼓，边缘四牛，作逆时针方向运行状，中央一牛，体形稍大，站立于一巨型铜鼓上。从此器的特点来看，此时贮贝器的制作水平已经趋于成熟。铜鼓在滇国时期是"重器"之一，象征着权力，而牛在当时则是一种财富的象征，集铜鼓、牛和贮贝器于一体，墓主人生前对权力和财富的拥有情况由此也就可见一斑了。

五牛针线盒
Sewing Box in the Shape of
Five Buffalos
高31.2厘米
江川李家山24号墓出土

器物似有盖的篾编箩，
上部为圆形，往下逐渐收
缩，至底部呈圆角四方形，
平底，四足；器盖上雕铸五
牛形象，一大四小，大牛居
中，小牛在盖沿处以逆时针
方向环绕大牛。因出土时内
装绕线板和线，同类器物中
还发现针，故名针线盒。

二人猎鹿铜扣饰
Bronze Button Ornament with a Scene of Two People Hunting Deer

高12、宽12.5厘米

江川李家山13号墓出土

　　器物主体造型内容表现了两位滇国贵族猎鹿的场景：二人皆头饰长翎，身着盛装，各骑一马，各持一长矛，追猎两头鹿，并有猎犬相助。其中一鹿被刺中后倒地，另一鹿也身上受伤，在劫难逃……古代滇池区域气候温暖湿润，草木丰茂，为野生动物的大量生长繁殖创造了条件。因此这里生活着许多野生动物，大到虎、豹等猛兽，小至兔、雉等小型动物，丰富的动物资源为滇族开展狩猎活动提供了条件。

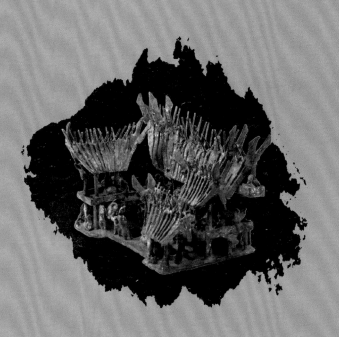

建筑与生存环境

Architecture and Living Environment

We could obtain some testable information of the architecture made by the ancient Dian people from those unearthed bronze wares. We know that human beings experienced living in rock caves, semi-abra buildings, wood and mud buildings, stilt-styled architectures, log cabin architectures, etc. Thus, the architecture model discovered at Shizhaishan is a rare case to learn the ancient architectures.

In the tropic area, the stilt-styled architecture has a special scientific significance. The climate in the ancient Dian area was very comfortable with abundant water and grass, inhabited by all kinds of wild animals, including rats and snakes. The stilt-styled architecture raised the floor over the ground, which could cool down the temperature in the room and bring better ventilation on one hand and keep the room from the disturbing rats and snakes on the other hand.

The ancient Dian people lived happily with wild animals, which finds expression in the bronze wares unearthed. Careful identification and study has proved that on the bronze wares there are more than twenty kinds of wild life such as hornbill, peacock, pheasant, mandarin duck, pelican, tiger, leopard, bear, wolf, wild boar, deer, mask deer, monkey, fox, rabbit, pangolin, etc. The creative ability for art and the sharp observation of the ancient Dian people are revealed in those vivid figures of wild life recorded on the relics of bronze wares.

铜房子饰物
Bronze-house Ornament
高9、宽12厘米
晋宁石寨山3号墓出土

铜立鹿
Bronze-deer Ornament
高16.3厘米
晋宁石寨山5号墓出土

到目前为止，滇青铜器大都是墓葬遗址出土，滇人生活的环境、建筑等公共生存状况还无法断言。但从出土的青铜器上，我们也能清楚地了解滇人建筑的一些情况。目前我们能看到的古代建筑最早不过唐代，但通过对古代遗址和文献的研究，我们知道人类曾经历过洞居、半地穴式建筑、木骨泥墙式建筑、干栏式建筑、井干式建筑等各种建筑居住方式。在石寨山发现的建筑模型，是了解古代建筑的珍贵资料，从这些模型中可以清楚地看到干栏式建筑与井干式建筑的原貌。干栏式建筑最早在河姆渡文化遗址中就有发现，云南的剑川海门口和昆明王家营等遗址也有类似的发现，或许它们的结构就和石寨山的这几件建筑模型一样。现在云南南部的一些民族，依然还居住在这样的干栏式建筑中，特别是一些细节，如挡鼠板、外廊、两面坡屋顶，沿袭了两千年，成为建筑史的活化石。

在热带地区，干栏式建筑有着特殊的科学性。古代滇池地区，水草丰茂，气候宜人，野生动物较多，自然蛇鼠也会很多。在云南青铜器上就有许多动物形象，特别是蛇，十分常见，在许多动物扣饰上，都有蛇在下部出现，一些青铜兵器，甚至祭祀场面中，也有蛇的身影。干栏式建筑把地面抬高，既解决通风，使屋内凉爽，又能很好地预防蛇鼠的侵扰。

据考证，两千多年前的古气候比现在温暖。黄河流域就曾经出土了象、犀牛等热带、亚热带的动物化石，殷商甲骨文中也屡有捕获象、犀牛等的记载。滇人生活在这样一个野生动物的乐土，自然也会留下深刻的印记，这使得我们能够从一个侧面来了解古代滇池地区的环境。

经过仔细的辨别、研究，在石寨山出土的青铜器上，有犀鸟、孔雀、雉鸡、鸳鸯、鹈鹕等飞禽，有虎、豹、熊、狼、野猪等猛兽，还有鹿、麂、猴、狐、兔、穿山甲等，可识别的有二十余种。这些动物有些已经被驯养，成为人类生活中的帮手，如犬、鹈鹕等，有些则成为了滇人捕猎的对象，或者可能给人们留下深刻的印象，从而走进了滇人的生活，走上了滇人的青铜器。

石寨山青铜器上众多的动物形象，有静态的，有动态的，无不生动形象且流露出勃勃的生命力，显示出古代滇人对于周围的自然生态的重视和观察。他们高超的自然主义写实能力，在这些动物的形象上得到充分的体现。正是基于对周围动物的细心观察与关注，才能如此生动地表现这些动物，尤其是那些给予我们深刻印象的，正在进行搏斗、猎食和被屠杀的动物。但古人花费如此心力去铸造这些生命，特别是那些搏斗的动物，真的仅仅是为了表现这些动物而铸造它们吗？他们想向我们述说什么？古滇王国没有文字，给我们留下了充分的想像空间。或许动物与我们的生命的确有着如此紧密联系，或许古代滇人和我们现在思考的都是同样的问题——人与自然。

三水鸟铜扣饰
Bronze Button Ornament in the
Shape of Three Birds
高11、宽11.5厘米
晋宁石寨山13号墓出土
　　器物中央的水鸟展翅欲飞，其两足旁各有一鱼，鱼头向下，鱼尾向上，身躯弯曲作游动状。左、右两水鸟昂首侧立，足下各有一条蛇盘绕。

二豹噬猪铜扣饰
Bronze Button Ornament in the Shape of Two Leopards Hunting a Boar

高8.5、宽16厘米

晋宁石寨山10号墓出土

　　扣饰上的野猪作张口嘶叫状。一豹扑于猪背，咬住其颈部；另一豹虽被野猪冲倒在地，但仍回首张口，高举前爪作反攻状。其下有一蛇，口咬野猪后腿，尾绕一豹左肩。

鎏金二怪兽铜扣饰
Gold-plated Bronze Button Ornament in the Shape of Two Beasts

高8、宽14.5厘米

晋宁石寨山13号墓出土

　　二怪兽交股站立，似雄狮而有角和獠牙，耳部和足上均佩戴圆环，与人面相类。上、下共有四蛇盘绕，蛇口咬住二怪兽之面颊。

动物搏斗场面贮贝器
Shell-container with an Ornament of Fighting Animals
高42.8厘米
晋宁石寨山71号墓出土

　　器身作细腰圆筒形，局部饰阴刻勾连螺旋纹。腰部铸有左右对称两虎形耳。平底，底有片状兽足支撑。器盖上铸有立体动物搏斗场面，一虎居中作嘶吼状，两侧各有一牛，均作搏斗状。虎一条后腿被一牛的角挑穿。器盖中心有一树，上有两猴两鸟，两猴相背蹲在树枝上，尾相缠绕；两鸟作惊恐之状，振翅欲飞。

锥形顶七牛铜贮贝器
Cone-shaped Bronze Shell-
container with an Ornament of
Seven Buffaloes
高19.5厘米
晋宁石寨山18号墓出土

铜立牛
Bronze-Buffalo Ornament
高17厘米
晋宁石寨山13号墓出土
铜牛体肥肌壮, 脊顶有肉峰, 即所谓"峰牛"。两巨角向上弯曲, 颈肌下垂很长, 双目圆鼓, 嘴微张, 四肢并立, 神态安详。

三虎背牛扣饰
Button Ornament in the Shape of Three Tigers Hunting a Buffalo
高9、宽11.3厘米
晋宁石寨山12号墓出土
　　扣饰中牛已被三虎咬毙，大虎负牛而行，二小虎紧随其中，昂首扬尾，姿态活泼，其下有一蛇。

二狼噬鹿铜扣饰
Bronze Button Ornament in the Shape of Two Wolves Hunting Deer
高12.7、宽16.7厘米
晋宁石寨山6号墓出土
　　扣饰表现了两狼共噬一鹿，其中一狼跃踞鹿背，口噬鹿耳，前爪抓住鹿头不放；另一狼前爪紧抓鹿之后腿，口噬其胯。鹿两前足屈跪，张口作惨叫状，其下有一蛇，咬鹿尾，蛇尾绕一狼之后腿。

三狼噬羊铜扣饰
Bronze Button Ornament in the Shape of Three Wolves Hunting Sheep
高8、宽14厘米
江川李家山出土
　　扣饰表现一羊遭遇三狼袭击，羊伏于地，仰头哀叫。一狼抓住羊颈，张口欲噬，一狼口咬羊腹，另一狼则紧抓羊后腿，口咬其胯。其下接铸一蛇，口咬一狼的耳部，尾绕另一狼背，富有动感。

虎牛搏斗铜扣饰
Bronze Button Ornament in the Shape of Fighting Tiger and Buffalo
高8.5、宽15.5厘米
晋宁石寨山10号墓出土
　　一虎与一牛搏斗，虎被牛撞翻在地，腰部被牛角戳穿，肠露腹外；虎口咬住牛之前足，两前爪紧抓牛腹。其下有一蛇，口咬牛之后腿，蛇尾绕住虎之左后足。

【云南新宝系列丛书】

127

鎏金铜鸳鸯
Gold-plated Bronze Mandarin
Duck
高11、宽17厘米
晋宁石寨山20号墓出土
　　鎏金、实心、平底，鸳
鸯身上有极细的浅刻羽毛
纹，周身有四蛇盘绕。

水鸟捕鱼铜扣饰
Bronze Button Ornament in the
Shape of Water-bird Hunting
Fish
高6.3、宽8.5厘米
晋宁石寨山17号墓出土

云南 宝系列丛书

音乐舞蹈及铜鼓

The ancient Dian people were good at playing all kinds of musical instruments like bronze drum, chuyu(a Chinese ancient bronze musical instrument), chimes, bronze bell and hulu sheng(a Chinese pipe musical instrument) probably due to religious purposes or daily entertainment. The music of the ancient Dian people was rather different from that of the Central Plains of China because its combination of musical instruments was even number which was obviously different from the odd numbered combination of the Central Plains of China in terms of musical tone. Unfortunately, those unearthed musical instruments could not be played, not to mention the enjoyment of the ancient Dian music. However, we could only share the music recorded on bronze wares.

There are many dancing figures recorded on the bronze wares of the Dian Kingdom. It could be concluded that the ancient Dian people were fond of dancing. The dancing heritage of the ancient Dian people is still well kept by many minority nationalities in Yunnan today, making Yunnan a treasure−place of dancing. Yunnan is the hometown of bronze drum, which originated in the central and west part of ancient Dian. Through years of development and cultural exchanges, it had a strong influence in the southern part of China and Southeast Asia. Though the bronze drum has made its exit from the historical stage among many minority groups, the custom and touching tales about the bronze drum are still popular with the minority nationalities of Zhuang, Buyi, Shiu, Miao, Yao, Wa and Dia in Yunnan, Guanxi and Guizhou provinces, performing as a "living fossil" in the historical chains.

In the ups and downs of a history of two thousand years, the ancient Dian Kingdom has disappeared. However, the influence of the great bronze culture of the Dian Kingdom can still be felt today. From the popularity of bronze drum, stilt−styled architecture, the mallet−shaped bun hair style of the Lahu minority group and the manteau of the Yi minority group, we can see the reflection of the bronze culture of the ancient Dian Kingdom while realizing that history is not far from us.

纹饰·铜编钟上的图案
Pattern on the Bronze Chime

滇人多姿多彩的生活同样走上了青铜器。从目前已经发现的乐器和青铜器上的形象看，他们善于演奏各种乐器，如铜鼓、錞于、编钟、铜铃、葫芦笙等。通常来说，音乐与宗教密切相关，同时又是生活娱乐不可或缺的部分。人们在欢庆的节日，敲击铜鼓，载歌载舞，用音乐、歌声、舞蹈来表达他们的欢悦，自娱并娱神。

从目前发现的乐器看，滇人的音乐与众不同。出现的乐器为偶数组合，显然音程与中原奇数组合的不同。遗憾的是这些乐器已经无法演奏，我们无法知晓滇国的妙乐究竟如何了。晋宁石寨山出土的鎏金八人乐舞铜扣饰，整件器物就像一个小小的舞台，上排四人为舞者，三人双手高举齐耳，张口而歌，第四人右手举至胸前，左手自然下垂，仿佛乐队的指挥。下排四人为伴奏者，一人吹直管葫芦笙，一人吹奏壶形乐器，另两人分别执錞于和曲管葫芦笙演奏，神情如此专注，虽然千年前的妙音绝响不复存在，但似乎仍能引人沉醉其中。

滇国青铜器上的舞蹈形象众多，可以推想当年滇人舞蹈之盛况。舞者或饰羽翎，或戴羽冠，或披兽皮，或戴高帽，形象不一，想来当时舞蹈种类甚多。滇人有着内容丰富的歌舞形式，徒手舞全以动作取胜，想来具有强烈的节奏感；执道具舞则手执羽旄、匏笙而舞，或许蕴涵庆祝胜利、赞美丰收的意味。当代云南少数民族中依然保留先民的遗风，时至今日，云南依旧是歌舞的宝库。

云南是铜鼓的故乡，它最初产生于滇中至滇西一带。1975年初，楚雄万家坝发现的四面铜鼓，参照碳十四测年数据，年代为春秋时期，它们是中国乃至世界上最古老的铜鼓，学术界将此类铜鼓以出土地的地名命名为万家坝型铜鼓。铜鼓在滇中至滇西一带产生后，随即往东、北、南方向传播，广西田东、四川盐源和越南、泰国等地也都出土了万家坝型铜鼓。向东传播时，在滇池地区衍生出制作精美、花纹繁缛的石寨山型铜鼓。往东更远的地方，广西西林、贵县也发现这种铜鼓。铜鼓向南和东南方向传播，砚山、丘北、广南等县不但出土过体形较大的万家坝型铜鼓，广南、富宁、麻栗坡、文山等县也出土过体形巨大的石寨山型铜鼓（广南鼓、开化鼓）。铜鼓传播过程中，其中的一支越过国界后，很快被越南北部的东山文化接受，逐渐成为石寨山型铜鼓的又一密集分布区。

铜编钟
Bronze Chimes
高40.3~29厘米
晋宁石寨山6号墓出土

　　一套六件，形状纹饰相同，大小依次递减。断面作椭圆形，唇口齐平，器身上大下小，顶部均有环钮。两侧各铸有蜿蜒的龙形纹四条，左右对称。钟鸣鼎食是王侯的礼仪，滇王墓出土的编钟呈偶数，而中原编钟为奇数件，滇文化显现出与中原文化相通而又不同之处。

铜鼓在漫长的发展过程中，虽然在众多民族和广大地区相继退出了历史舞台，但时至今日，滇、桂、黔诸省的壮、布依、水、苗、瑶、佤、彝等族和克木人居住的一些民族村寨，还保留着、流传着铜鼓的奇风异俗和动人的传说，成了连接历史纽带的"活化石"。每逢盛大节庆、建新房、婚丧，这些民族都会取出珍藏的铜鼓，边敲击，边跳铜鼓舞，以鼓声助兴，或祈祷平安、幸福，或借此驱逐邪恶，安慰亡灵。广南贵马村壮族，麻栗坡新寨、城寨白倮至今仍保存着浓郁的使用铜鼓习俗。

　　作为中国南方和东南亚地区普遍存在的乐器，铜鼓的流传充分表明滇国青铜文化不仅不是孤闭的地方文化，恰恰相反，它是周边各种强大文化共同作用下形成的一种复合文化。也正是由于云南战略上的重要，在西汉王朝最为鼎盛的时期，一旦中原文化有向外扩张的强烈要求，雄才大略的汉武帝便听取了张骞等人的建议，作出了"通西南夷"的重大决策，促使中原文化占据了这片国际性的大通道，也奠定了云南此后的历史进程。

滇国不复存在，滇人的去向也成为历史之谜，经过两千年的历史变迁，我们今天也难以把滇人和某些现在的民族进行对应来寻找答案。但是，从滇国青铜文化的孑遗中，我们今天依然可以感觉得到。铜鼓的流传，干栏式建筑的使用，拉祜族的椎髻，彝族的披风，都让我们看到了古滇国青铜文化的影子，历史并不遥远。

羽人舞锥形铜器盖
Ornamented Lid of Cone-shaped Bronze Article
径54厘米
晋宁石寨山12号墓出土
　　整体作斗笠状，边缘有一个半环钮，正中铸八角太阳，其外为三角齿纹及圆涡纹一周，再外为舞蹈人物一周，人物腰系短裙，手中持羽翎舞蹈，似在进行某种宗教仪式。

四人乐舞铜俑
Four Bronze Figurines in Performance

高9厘米

晋宁石寨山17号墓出土

　　四俑发饰、服形相同，脚下均有一环形小扣，属女性。其中一人吹曲管葫芦笙，边吹边跳，其余三人均作舞蹈状，或摆动双手，或移动双脚，姿态十分优美。以上四人皆蓄银锭形发髻，耳佩大环，手戴铜镯数件，右肩带上系短剑，腰间束带上有一圆形扣饰，身披有花纹的毛纺织物，上衣后襟较长，下拖至脚后，两膝以下各绕兽尾一条，跣足。

鎏金八人乐舞铜扣饰
Gold-plated Bronze Button
Ornament in the Shape of Eight
People in Performance
高9.5、宽13厘米
晋宁石寨山13号墓出土

　　呈长方形，鎏金，其背面有一铜扣，正面反映饮乐歌舞的情景。人物分上下两排，上排四人，口微张，作歌舞状。均头戴冕形冠，梳发髻于冠顶，有长飘带系绕于冠后；耳戴大圆形耳环，右肩斜挂一条由乳突形圆扣串缀成带的宽带于侧腰，腰系束腰带，于腹部有一圆形扣饰。其居中二人双腕上戴宽缘圆环镯，两手上举；居两边者一人两手上举，另一人则右手抚颈，左手抚腰。下排四人服饰与上排四人基本相同，右起第一人头上未戴冕形冠，系长飘带，耳部、腕处均无装饰品，双手相合吹芦笙；第二人则头部未戴冕形冠，但系有长飘带，怀抱錞于敲击；第三人头戴冕冠，系长飘带，双手抚一似直管葫芦笙状的乐器于唇下吹奏；第四人也头戴冕冠，系长飘带，双手横持一长柄葫芦笙吹奏。

鎏金四人铃舞铜扣饰
Gold-plated Bronze Button Ornament in the Shape of Four People in Performance
高11.4、宽14厘米
晋宁石寨山13号墓出土

　　四人横排站立作舞蹈状。四人戴筒状尖顶帽，帽上饰带柄的小圆片，帽后有两条很长的飘带，下垂至地；身着短袖对襟长衫，肩部披帔，腰束带，带上佩圆形扣饰。右手执铃，左手抚于胸。有学者认为饰物表现的是"滇人巫舞"。这四人是"巫"，从图像上看不出性别，其装束在出土的数百件青铜人物中极为罕见。

大波那铜鼓
Dabona Bronze Drum
面径38.2、高27.8厘米
祥云大波那出土
　　鼓面饰太阳纹，分四芒，鼓身无纹饰，形制古拙，比例不甚合理，早期铜鼓的特点明显。

万家坝铜鼓内壁上饰有爬虫纹、网云纹
Patterns on the Inside of Wanjiaba Bronze Drum

铜鼓鼓面上的太阳纹
Pattern on the Surface of
the Bronze Drum

万家坝铜鼓
Wanjiaba Bronze Drum
面径41.5、高37厘米
楚雄万家坝23号墓出土

　　鼓面饰太阳纹，分八芒，鼓腰分十八格，饰四扁耳，近足处饰雷纹，内壁饰爬虫纹、云纹、网纹，鼓身带烟熏痕迹，形制古拙。该鼓与同墓中出土的另外三鼓，经相关机构测定，相互之间存在小三度、纯四度、大二度、小二度的音程关系，音响效果已经达到了一定的水准。

纹饰·滇人吹奏葫芦笙
Pattern Describing Dian People Playing
Gourd Musical Instrument

立牛铜葫芦笙
Bronze Gourd Musical Instrument
with a Buffalo Ornament
高28.2厘米
江川李家山24号墓出土

　　器物的音斗部分仿葫芦形状制成，器体正面开有五个孔，背面开有一孔，孔内原来应插有竹管，出土时已经腐朽无存。上部为曲管，曲管上开一小孔，并于顶部焊接一头小牛形象。牛呈站立状，角长而内翘，长尾拖于地，显得娇小、恬静而可爱。给人这样一种感觉：好像小牛是从器底一直攀爬上来，至顶部时由于重量的作用而使得器管自然弯曲。造型之奇特，构思之精妙，不禁令人为之拍案叫绝。

四蹲蛙铜鼓
BronzeDrumwithanOrnament of
Four Squatting Frogs
高19厘米
晋宁石寨山10号墓出土

　　鼓面饰太阳纹，分六芒，芒间饰羽纹；饰立体之四蹲蛙，呈顺时针方向环于鼓面边缘处；鼓胸与鼓腰饰多种几何图案。与石寨山其他铜鼓相比，体形较小，也较为修长，尤其是立体之四蹲蛙的出现，更显特色鲜明。而关于蛙饰，目前学术界有各种各样的看法，如求雨说、消灾说、图腾说、钮实用功说，等等。立体蛙饰的粉墨登场，使铜鼓的装饰开始从平面走向立体，审美效果发生了空间的变化。

广南铜鼓

Guangnan Bronze Drum

高46、面径68.5厘米

此鼓为民国时期文山州广南县阿章寨出土，后辗转收藏于云南省博物馆。鼓面饰太阳纹，分十四芒，其外分五晕，饰多种几何图案；鼓胸饰船纹，共有四组，每船上表现人物四至五人，人物头上戴羽冠；鼓腰饰锥牛纹、鸟纹、舞人纹等，纹饰生动、自然；鼓胸和鼓腰之间饰四耳。该鼓造型端庄，铸造精细，纹饰华美，光泽闪亮如新，边边角角皆铸造得规整、圆滑，是石寨山型铜鼓的最高成就者。

纹饰·滇人的乐舞
Pattern of Dian People's Performance

纹饰·滇人的磨秋纹
Pattern of Dian People's Swinging Performance

纹饰·滇人的乐舞
Pattern of Dian People's Performance

云南省青铜器历次国内外展举要

展览名称	展出地点	展览时间
云南青铜器展	日本东京名古屋	1984年7月31日～10月17日
云南青铜器展	瑞士苏黎世丽特贝克博物馆	1986年5月23日～8月31日
云南青铜器展	奥地利维也纳民俗博物馆	1986年9月10日～11月24日
云南青铜器展	德国科隆东亚艺术博物馆	1986年12月5日～1987年3月11日
云南青铜器展	西柏林远东艺术馆	1987年3月14日～5月24日
云南青铜器展	意大利罗马威尼斯宫	1987年6月4日～8月16日
云南青铜器展	联邦德国斯图加特市林登博物馆	1987年10月15日～11月15日
云南文明之光——古滇国青铜器展	中国国家博物馆	2004年1月15日～4月5日
图像王国探秘——古滇国文物展	广东省博物馆	2004年5月18日～9月10日
猎鹿与剽牛——云南古滇国文物展	香港历史博物馆	2004年11月9日～2005年2月21日
古滇国文物展	深圳博物馆	2005年3月3日～4月15日
照亮彩云之南的火把——滇王国文物展	湖南省博物馆	2005年4月27日～6月5日
古滇国文物展	浙江省博物馆	2006年3月24日～6月20日
苍山洱海滇池魂	广州西汉南越王博物馆	2006年4月11日～10月
滇国青铜器大展	瑞士苏黎世李特勃格博物馆	2007年2月16日～2008年1月

后
Postscript
记

青铜时代是人类久远历史的一段珍贵记忆，云南的青铜时代更是云南历史上一段辉煌的华章。自从云南青铜器发现后，半个世纪以来，吸引了无数中外学人和研究者，令人叹为观止。我们编写这本小书，就是想要用最简单的方式，把对滇文化研究的成果展示给普通读者，寻找这种面对历史的愉悦，并努力告诉每个云南人以及所有热爱、关注云南的朋友。

本书的出版，承蒙云南民族出版社诸位朋友的诚挚帮助。本书采录的资料，除了本馆收藏的珍贵文物外，还得到了国家博物馆、云南省文物考古研究所、昆明市博物馆、江川县博物馆等研究和收藏单位的鼎力支持。在编写过程中得到张增祺、张永康诸先生的无私帮助，范舟、樊海涛等各位同事为本书提出了宝贵意见和珍贵资料。本书所用的文物线图，是易学钟、王桂蓉等前辈精心绘制的成果。

在此一并表示谢意。

编　者

2007年11月1日